Robin des Bois

Historien, scénariste et romancier, **Claude Merle** est l'auteur
d'une quarantaine de romans historiques
édités par Bayard, Hachette, Autrement et Intervista.

Illustration de couverture : Miguel Coimbra

© Bayard Éditions, 2010
18 rue Barbès, 92128 Montrouge Cedex
ISBN : 978-2-7470-3354-1
Dépôt légal : septembre 2010
Seconde édition
Loi 49-956 du 16 juillet 1949 sur les publications destinées à la jeunesse
Reproduction, même partielle, interdite

Imprimé en Italie

Claude Merle

Robin des Bois

HÉROS DE LÉGENDE

bayard jeunesse

Introduction

En 1192, au retour de la troisième croisade, le roi d'Angleterre, Richard Cœur de Lion, est fait prisonnier par l'empereur d'Allemagne, Henri VI, au mépris des lois de l'Église et de la chevalerie. La rançon exigée pour sa libération est de 150 000 marcs d'argent, somme considérable pour l'époque.

Tandis que la reine Aliénor, mère de Richard, s'efforce de réunir cette rançon, le jeune frère du roi, le prince Jean, intrigue auprès du roi de France et de l'empereur pour maintenir le roi d'Angleterre en prison et s'emparer du trône.

Dans ce contexte politique troublé, des rivalités muliples déchirent l'Angleterre. La première victime de cette anarchie est le peuple. Accablé d'impôts, réduit à la misère, soumis à des violences quotidiennes, il souffre et se révolte.

Un jeune seigneur, épris de justice et de liberté, prend la défense des opprimés. Il s'appelle Robin de Locksley. On le surnomme Robin Hood : Robin des Bois. Réfugié dans la forêt de Sherwood, à la tête d'une armée de hors-la-loi, les *outlaws*, il mène une guerre sans merci contre les nobles, laïques et surtout religieux, qui persécutent les faibles.

On ignore si Robin des Bois a réellement existé, ou s'il est, au contraire, le fruit de l'imagination populaire ou l'invention d'un poète du XIVe siècle. Mais, au cours des siècles, d'innombrables récits ont raconté ses exploits au point qu'il est devenu vivant et familier pour les lecteurs et les spectateurs du monde entier.

Alors, Robin des Bois, héros de l'Histoire ? Peut-être pas. Mais héros de légende, certainement.

Chapitre 1
Les croisés

– Maudit temps ! murmure Orderic.

Il observe la pluie qui transforme les chemins en bourbiers. Robin de Locksley sourit. Depuis son retour en Angleterre, Orderic, son écuyer, ne décolère pas.

– Tu ne reconnais plus ton pays ? le taquine Robin.

Repoussant son capuchon sur ses épaules, le jeune chevalier laisse la pluie fouetter son visage. La sensation lui semble agréable après deux années passées sous le ciel ardent de Palestine.

Ils ont abordé trois jours auparavant, et il a hâte d'atteindre le manoir de Locksley, sa maison natale, entourée de prés verdoyants et de vastes forêts.

– Beau pays ! grommelle l'écuyer réfugié sous l'auvent de l'auberge où ils viennent de faire halte.

– Tu regrettes le désert ?

Orderic crache sur le sol :

– Soleil du diable !

– Viens ! dit Robin, amusé.

Ils entrent dans le relais, ôtent leurs manteaux et les secouent. L'aubergiste, un gros homme sanglé dans un tablier, examine la croix cousue sur leurs tuniques :

– Vous arrivez de Terre sainte, mes seigneurs ?

– On ne peut rien te cacher, soupire Orderic en se laissant tomber sur un banc qui craque sous son poids.

– Cela explique vos chevaux fourbus.

– Et notre appétit d'ogre.

Robin prend le temps de détacher son baudrier et son épée avant de s'installer face à son écuyer.

– Je peux vous servir une volaille, des fromages du Kent et un gâteau au miel, dit l'hôte, d'un ton engageant.

– Apporte tout ça, mais fais vite, lui ordonne Orderic.

– La volaille, c'est cinq shillings, précise l'aubergiste.

L'écuyer sursaute :

– Cinq shillings ? Pour ce prix-là, nous devrions avoir tout un poulailler !

– Les temps sont durs, plaide l'homme.

Orderic lui caresse le ventre avec ironie :

– Je vois ça.

– Écoute, dit Robin. Notre voyage a duré deux mois entiers. Nous avons essuyé une tempête en Méditerranée. Notre navire a fait naufrage. En Anjou, les Français nous ont attaqués. Des brigands nous ont assaillis à Stonefield, sur notre propre sol…

– Pour leur malheur, ajoute Orderic.

– Nous sommes fatigués, insiste Robin.

– Et tu essaies de nous plumer comme tes volailles, gronde l'écuyer.

– Je suis venu ici, autrefois, ajoute Robin avec mélancolie. Le village était gai et chaleureux. Cette tristesse… J'ai du mal à reconnaître l'endroit.

L'aubergiste considère le croisé avec respect. Le chevalier est grand, blond, vigoureux. Ses habits sont usés, mais son épée magnifique vaut certainement une fortune. Il se dégage du jeune guerrier un air de grande noblesse.

L'homme s'assied sur un tabouret et lui parle en confidence :

– Nous sommes écrasés d'impôts, messire. Pillés, étranglés. Depuis la mort du roi…

– De quel roi parles-tu ? s'exclame Orderic.

– Richard.

Un sourire moqueur éclaire le beau visage de Robin :

– Richard Cœur de Lion ? Je peux t'assurer qu'il est bien vivant.

– Ses ennemis ne peuvent pas en dire autant ! ricane Orderic.

– Parlez plus bas, supplie l'aubergiste. Les créatures du *sheriff*[1] sont partout.

– Que m'importe le sheriff, dit Robin avec dédain. J'ai combattu pour le roi tandis qu'il comptait ses écus.

L'aubergiste pâlit. Il chuchote :

– Le roi Richard est mort, c'est ce qu'on raconte. Son frère, Jean, a pris le pouvoir. Ses barons, Gisborne, Harley, Raleigh, Montgomery, tiennent le pays. Le sheriff est acquis à leur cause, pour notre ruine.

– C'est bon, sers-nous, commande Robin en posant cinq shillings sur la table.

L'aubergiste rafle l'argent d'une main adroite et gagne sa cuisine en évitant les regards curieux des hommes assis aux tables voisines.

– Ce gros lard ment et nous vole ! râle Orderic.

Robin secoue la tête d'un air sombre :

– Il nous vole peut-être, mais il ne ment pas. L'Angleterre a bien changé. Il se passe ici des choses louches. J'en aurai le cœur net.

Autour d'eux, les clients mangent en silence. De temps en temps, ils échangent des coups d'œil furtifs. Ce n'est guère l'ambiance animée des tavernes anglaises.

---

1. En Angleterre, le sheriff est un officier qui représente le roi dans chaque comté.

– Race de cafards ! grommelle Orderic.

Cependant, la volaille est dorée à point, le gâteau au miel, généreux, et la bière, blonde et fraîche. La jolie servante qui s'occupe d'eux pousse la sollicitude jusqu'à mettre leurs manteaux à sécher devant la cheminée. Ces plaisirs adoucissent l'humeur de l'écuyer. Quand ils reprennent la route, ils constatent avec satisfaction que la pluie a cessé. Le soleil perce les nuages chassés par le vent du nord. À l'écurie, les valets ont brossé et nourri leurs chevaux.

– Quatre heures de route avant Locksley, dit Robin.

Orderic observe le soleil :

– Nous y serons avant la nuit.

Avant de se hisser en selle, il resserre les sangles de ses armes : une longue épée, une hache et un arc. Robin observe les gestes de l'écuyer. Celui-ci est revêtu d'une cotte de mailles et puissamment armé. On dirait toujours qu'il part à la guerre, même lorsqu'il s'agit de retrouver la paix de son foyer.

Ils cheminent vers le nord pendant trois lieues avant d'apercevoir la masse sombre de la forêt de Sherwood. Dans ce décor familier, Robin s'épanouit. Déjà, il se sent chez lui. Il retrouve les couleurs et les odeurs de son adolescence. Pendant toute sa jeunesse, il a parcouru cette étendue mystérieuse. Les bêtes sauvages et les esprits qui hantent la forêt ont nourri ses rêves d'enfant.

– Passons par Kingworth, suggère Orderic.

Robin approuve tacitement. Dans ce hameau, huit ans auparavant, il a connu ses premières amours avec Dorothy, la fille d'un fermier.

Ils longent la lisière de la grande forêt quand une apparition soudaine fait faire un écart au cheval de Robin. Orderic porte la main à son épée, puis se détend : ce n'est qu'une petite fille blonde d'une dizaine d'années.

Robin a stoppé sa monture pour ne pas piétiner l'enfant. Celle-ci s'agrippe à sa botte.

– Seigneur, sanglote-t-elle. Aidez-moi ! Ces méchants ont arrêté mon père, ils vont le pendre !

Elle désigne un groupe de soldats réunis au pied d'un chêne, à une cinquantaine de mètres de là.

– Allons voir, dit Robin.

Il saisit la fillette et la juche sur son cheval, puis il se dirige vers l'attroupement : cinq hommes d'armes portant les couleurs du sheriff, et, au milieu d'eux, un misérable vêtu d'une robe brune et chaussé de sandales, le cou enserré dans une corde de chanvre.

– Sauvez-le ! supplie l'enfant.

– Comment t'appelles-tu ? demande Robin.

– Marion, monseigneur.

– Eh bien, Marion, ne t'inquiète pas. Si ton père n'a commis aucun forfait, il ne risque rien.

Laissant l'enfant sur sa selle, Robin met pied à terre et s'avance vers les soldats.

– Je suis Robin de Locksley, annonce-t-il. Puis-je connaître le crime de celui que vous allez pendre ?

L'un des gardes se tourne vers lui. Sa tunique noire désigne un sergent. Il a un corps massif, des traits lourds, un crâne rasé et de petits yeux méfiants sous des sourcils en broussaille :

– Ce chien a tué un daim dans la forêt du roi.

– Pour nourrir mes enfants, proteste le coupable d'une voix morne. Nous n'avons plus rien à manger.

Le poing ganté du sergent s'abat sur la bouche du malheureux. Celui-ci lève son visage sanglant.

– Simon ! s'exclame Robin. Simon le Faucheur.

– Messire Robin, murmure l'homme avec espoir.

– Qu'est-ce qui t'a pris d'exterminer la harde royale ?

– La faim, je vous l'ai dit.

– Finissons-en ! s'impatiente le sergent.

– Oui, finissons-en, enchaîne Robin. C'est un grand crime, en effet, mais je connais Simon, il est brave et honnête. Il a tué un daim par nécessité. Il ne le fera plus car, désormais, il aura à manger, lui et sa famille, je m'en porte garant.

Il s'adresse au sergent :

– Quel est votre nom, messire ?

– Alan, répond l'homme de mauvaise grâce. À présent passez au large.

Dédaignant l'injonction du sergent, Robin tire sa bourse.

– Messire Alan, dit-il, je vous rachète la vie de cet homme. Voici cinquante shillings. Gardez le gibier et l'argent et libérez-le.

Le sergent saisit la bourse avec un mauvais sourire :

– J'accepte le prix de l'amende. Mais l'argent ne change rien à l'affaire. Ce chien a été jugé. Il sera pendu comme l'exige la loi.

Robin hausse les épaules :

– Je vois que tu aimes plaisanter, l'ami. Cela m'arrive quelquefois, mais jamais avec la vie d'un homme.

Sur ses mots, il desserre la corde et va libérer Simon

quand un coup violent asséné dans les reins le projette en avant. Reprenant ses esprits, il se retrouve encerclé par les cinq hommes, qui ont tiré leurs épées.

– Tu veux vraiment partager le sort de ce vagabond ? grince le sergent.

Chapitre 2

L'épée du roi

Robin ouvre son manteau et découvre sa tunique ornée de la croix de Jérusalem.

– Je suis compagnon d'armes du roi Richard, dit-il. Oserais-tu me menacer, rustre ?

Le sergent sourit avec un mépris affiché :

– Je sers mon seigneur, le sheriff de Nottingham, qui applique la loi.

– Et moi, je sers le roi qui a fait cette loi, réplique Robin avec hauteur.

– Dans ce cas, vous devez savoir que quiconque chasse dans ses forêts est puni de mort.

– Richard fera une exception.

Robin tire son poignard et se penche pour délivrer Simon, dont les poignets sont toujours liés derrière le dos.

Pour ne pas perdre la face, Alan fait signe à ses hommes. Deux d'entre eux se précipitent sur Robin. Orderic, qui observe la scène, bande son arc. Sa flèche se plante dans l'épaule du premier soldat. L'homme s'affaisse avec un cri de douleur. Le second lève son épée. Plus rapide, Robin détourne sa lame et le frappe au front du quillon[1] de son poignard. Le garde tombe, assommé.

La réaction des croisés a été si foudroyante que le sergent n'a pas eu le temps de faire face. La rage déforme son visage, mais face à Robin qui a tiré son épée, et à Orderic dont l'arc le prend pour cible, il sait qu'il n'a aucune chance.

– Vous avez eu tort, dit-il d'une voix sourde. Le sheriff vous fera payer très cher votre insoumission !

---

1. Le quillon : une des branches de la croix dans la garde d'une épée ou d'un poignard.

Méprisant ses menaces, Robin délivre Simon, puis il enlève Marion de sa selle et la place dans les bras de son père :

– Partez maintenant, partez vite. Demain, venez à Locksley. Là-bas, vous ne risquez rien. Je vous aiderai.

– Dieu te bénisse, Robin, dit Simon.

Le Faucheur détale aussitôt à travers la forêt. Pendant ce temps, Orderic tient toujours Alan en respect. Jugeant son ami en sécurité, Robin salue le sergent :

– À présent, tu peux partir, emmène tes blessés. Un conseil : lorsque tu voudras me défier de nouveau, fais-le avec courtoisie, sinon je serai moins miséricordieux.

Orderic tend les rênes de son cheval à son maître. Les deux hommes s'apprêtent à se mettre en selle lorsqu'ils perçoivent un bruit de cavalcade. Quelques minutes plus tard, une trentaine de cavaliers surgissent sur le chemin. Ils sont armés et portent haut leurs bannières. En les voyant, Alan se précipite à leur rencontre. Il rejoint les chefs de la troupe, qui s'est immobilisée à une centaine de mètres de là, et plaide visiblement sa cause avec passion. Ses gesticulations suscitent la colère d'Orderic :

– Ce serpent répand son venin.

– Ne sommes-nous pas immunisés ? plaisante Robin.

L'écuyer fait la grimace :

– Si vous m'en croyez, nous devrions reprendre la route sans perdre un instant.

Un regard de Robin le renseigne : pas question de fuir ! Orderic hausse les épaules d'un air sombre :

– Après tout, nous sommes deux, et ils ne sont que trente-cinq.

– Trente-sept, rectifie Robin en évaluant les forces des gens qui les observent.

Il attend leur réaction tranquillement, les mains appuyées sur la garde de son épée plantée en terre. Au bout de quelques minutes, trois cavaliers richement vêtus, escortés de six hommes d'armes, s'avancent. Le plus âgé, le chef de la troupe, sans doute, s'adresse à Robin avec une politesse glacée :

– Je suis Guy de Gisborne, seigneur de Peinharck et Maubray.

Les deux autres barons se présentent à leur tour :

– Edouard de Tickhill.

– Roger de Mortemer.

Robin comprend que cette manière de s'annoncer n'est pas un devoir de courtoisie, mais une manière de lui en imposer. Il salue cependant les trois hommes en portant la garde de son épée à hauteur de son visage.

– C'est un honneur de vous rencontrer, messires. Je suis Robin de Locksley. Voici mon écuyer, Orderic Blackhorn.

– Vous revenez de Palestine, je crois, dit Gisborne.

Robin acquiesce :

– Nous sommes arrivés avant-hier. Nous étions avec le roi à Jaffa et Jérusalem.

– Dieu vous en tiendra compte au jour du jugement, dit Gisborne avec une ironie blessante.

La morgue du baron, son insolence et la richesse de sa tenue, insolite sur cette route sauvage… tout en lui hérisse Robin.

– Ce n'est pas pour Dieu que j'ai combattu, monseigneur, mais pour votre roi, réplique-t-il.

– Dommage que Richard ait égaré des gens comme vous, dit Tickhill.

– Qu'il se soit lui-même égaré, ajoute Mortemer. Il aurait mieux fait de protéger le royaume.

Robin crispe la main sur son épée :

– Que voulez-vous dire ?

– Richard a commis trop d'erreurs, répond Gisborne. La pire de toutes est d'être allé se perdre en Autriche et de finir dans les prisons de Léopold.

– Le cousin de l'empereur ? s'étonne Robin.

– Le roi n'est donc pas mort ? s'exclame Orderic malgré lui.

– Hélas, non, soupire Gisborne. Il aurait peut-être mieux valu. Par chance, son frère Jean veille sur l'Angleterre.

Robin ne peut retenir un éclat de rire :

– Jean, gouverner le royaume, vous raillez ?

– Vous parlez du régent, messire, le reprend Gisborne avec sévérité.

– Le régent est Guillaume Longchamp, réplique Robin.

Mortemer sourit avec mépris :

– Un homme corrompu.

– Désigné par Richard lui-même.

– Et révoqué par le prince Jean, dit Tickhill.

Robin considère les barons avec répulsion. Des Normands de la pire espèce, ambitieux, avides, impatients de s'enrichir et de s'emparer du pouvoir.

– Pour moi, je reste fidèle au vrai roi, Richard Cœur de Lion, déclare-t-il d'un air de défi.

Gisborne réplique, en échangeant un regard avec le sergent du sheriff :

– Votre fidélité vous honore, messire. Cependant, il est indigne de profiter de l'absence du roi pour susciter des troubles.

Robin secoue la tête :

– Cette brute allait pendre un innocent.

– Un coupable ! s'insurge Alan. Il avait tué un daim. J'appliquais la loi.

– Belle loi qui punit de mort un pauvre homme obligé de chasser pour ne pas mourir de faim.

– Quoi qu'il en soit, ce n'est pas à vous d'imposer votre loi sur des terres qui ne sont pas les vôtres, dit Gisborne.

– Ni à vous, réplique Robin.

Tickhill pointe un doigt accusateur :

– N'avez-vous pas blessé deux gardes royaux dans l'exercice de leur devoir ?

– Deux soldats du sheriff, rectifie Robin. Ces hommes m'ont attaqué. Ma défense était légitime.

– Mensonges ! Il avait libéré le condamné.

Insulté, Robin fait un pas menaçant vers le sergent, qui se réfugie prudemment derrière les cavaliers.

– Expliquez à ce rustre qu'un croisé est sous la sauvegarde de l'Église, et que nul ne peut porter la main sur lui impunément.

– Certes, dit Tickhill, mais il n'est pas admissible qu'un croisé extermine les agents du roi comme des infidèles.

– Nous nous rendons à Nottingham, intervient Gisborne. Je suggère que vous nous accompagniez. Le sheriff décidera de la suite à donner à cette affaire.

Robin sourit avec une sombre ironie :

– Je vous sais gré de votre invitation, messire, mais, après deux ans d'absence, j'ai hâte de rentrer chez moi.

Poussant du pied la corde de la pendaison restée à terre, il ajoute :

– En outre, la manière arbitraire dont ce brave sheriff applique sa justice ne m'incite guère à me soumettre à son jugement.

– Cependant, convenez qu'il agit au nom du roi, dit Mortemer.

– Trêve de bavardage ! s'impatiente Gisborne. Messire, ce que vous avez pris pour une invitation était un ordre. Je vous demande de me remettre votre épée et de nous suivre.

Robin baise la garde de son arme :

– Cette épée m'a été offerte par le roi Richard après notre victoire de Jaffa. Je ne la remettrai jamais à nul autre que lui.

Gisborne fait signe à ses hommes. Ceux-ci encerclent Robin et Orderic.

– Allons, jetez vos armes, ne m'obligez pas à employer la force.

Les cavaliers ont mis pied à terre pour obéir à Gisborne. Trois d'entre eux se jettent sur Robin. Celui-ci désarme le plus avancé, frappe le deuxième et pare un coup d'épée traîtreusement asséné par derrière. De son côté, la grande épée d'Orderic a fauché un adversaire. Cependant, d'autres arrivent en renfort. Le cercle se referme sur les deux hommes. Ils vont succomber quand une flèche, jaillie des fourrés, abat un soldat. Une autre traverse un bras qui allait porter un coup fatal à Robin.

Un cor résonne. Aussitôt, une véritable pluie de traits lancés par des archers fantômes s'abat sur la troupe des barons et la force à s'éloigner.

Robin regarde ce déluge mystérieux avec la même stupeur que ses adversaires. Le cheval de Mortemer s'abat, projetant son maître à terre. Celui-ci se relève en hâte. Un soldat l'aide à monter en croupe. Puis la compagnie prend le large, laissant six hommes sur le sol.

– Robin de Locksley, tu paieras cher cet affront ! crie Gisborne avant de s'élancer au galop sur la route de Nottingham.

Chapitre 3
Les outlaws

Robin regarde disparaître les barons avec contrariété. Il n'a pas cherché l'affrontement et, quand il a eu lieu, il n'a fait que défendre sa vie. Mais il est fâché d'avoir de nouveaux ennemis alors qu'il n'aspirait qu'à la paix.

Tournant son regard vers la forêt, il voit sortir des fourrés les inconnus qui sont venus à son aide. Tous portent des casaques vertes, des bottes en peau de daim et des arcs d'if. Il en compte une trentaine.

– Qui êtes-vous ? demande-t-il.

Les réponses fusent, ponctuées de rires :

– Des *outlaws*.

– Des révoltés.

– Des ennemis du sheriff et du prince Jean.

– Des brigands, résume Robin sans dissimuler son déplaisir.

– Des gibiers de potence, confirme l'un des rebelles.

Robin examine plus attentivement l'archer dont il a reconnu la voix moqueuse.

– Will ? Willy l'Écarlate ? C'est toi ? s'exclame-t-il. Que fais-tu au milieu de ces bandits ?

– Ces bandits sont mes frères, dit Will en grattant ses cheveux roux qui lui valent son surnom. Ce sont des réprouvés comme moi. Nous avons dû nous réfugier dans la forêt pour échapper aux sbires du sheriff.

– Ces vautours ne s'aventurent pas au cœur de Sherwood. Si certains l'ont fait, ils ne sont plus là pour en témoigner, lance un colosse appuyé sur son arc.

– John Bering, murmure Robin avec une émotion sincère. Petit Jean !

– Comme tu peux voir, confirme le géant avec un rire sonore.

Il aime le surnom de Petit Jean, qui souligne avec ironie sa haute taille. Du haut de ses deux mètres, il peut terrasser un taureau en le tenant par les cornes, ou soulever d'une seule main un rocher de quatre-vingts livres.

Dans sa jeunesse, Robin a joué avec ces fils de paysans jusqu'à ce que son éducation de chevalier l'éloigne de Locksley. Comment ces garçons paisibles et généreux sont-ils devenus des hors-la-loi?

– Que s'est-il passé? leur demande-t-il.

C'est Petit Jean qui répond:

– En l'absence du roi, le sheriff et ses complices, seigneurs, évêques et abbés, pressurent le pays avec la complicité du frère de Richard.

– Le prince Jean?

– Jean, oui. Ils s'emparent des terres et des fermes, font main basse sur les troupeaux. Ils chassent les propriétaires et les tenanciers incapables d'acquitter les taxes ou de rembourser leurs dettes. Les hommes du sheriff font régner la terreur. Ils pendent, torturent, mutilent…

– Pourquoi ne pas porter plainte auprès du justicier royal? suggère Robin.

Will éclate d'un rire sans joie:

– Le justicier est aux ordres du prince Jean, et il est l'ami de Robert Durham, le sheriff. Nous n'avons aucun recours, à part ceci.

Il caresse son arc. Robin hoche la tête:

– Je vois, la forêt est vaste. Vous pouvez vous cacher,

vous nourrir. Mais cette situation ne peut pas durer. L'hiver est rude par ici, souvent meurtrier.

Petit Jean caresse sa barbe blonde :

— Moins que sur les terres du sheriff.

Robin montre les victimes du combat :

— Voilà qui ne va pas arranger vos affaires.

— Ni les nôtres ! grommelle Orderic.

Petit Jean hausse ses lourdes épaules :

— Quelques morts de plus ou de moins, au point où nous en sommes…

— Qui vous a alertés ?

— Simon.

— Le Faucheur, bien sûr !

— Il nous a raconté de quelle manière tu l'as sauvé de la corde. C'est à ce moment-là qu'un de nos guetteurs a signalé l'arrivée de l'armée de Gisborne.

— Je pouvais me débrouiller tout seul.

— J'ai vu ça ! pouffe Petit Jean. Tu aurais fini enchaîné dans les prisons de Nottingham, des caveaux humides dont même les crapauds ne veulent pas.

— Je suis seigneur de Locksley et compagnon du roi, dit Robin avec fierté. Ils n'oseraient pas…

— Ils vont se gêner ! s'esclaffe Will. Le sheriff a fait arrêter Geoffroy de Torksey et Pierre de Stows.

— Et Thomas Rufford, qui était plus titré que toi, ajoute Petit Jean. On ne les a jamais revus !

— Je devrais vous remercier, je présume.

— Inutile, plaisante l'un des *outlaws*. Nos adversaires l'ont fait à leur façon.

Robin constate avec réprobation que les rebelles ont

dépouillé les victimes de leurs armes, de leurs armures et de leurs bourses.

– Est-ce vraiment nécessaire ? proteste-t-il.

– Pour ceux qui manquent de tout, oui, explique Petit Jean d'une voix sourde. Il y a des dizaines de femmes et d'enfants dans la forêt. Ils ont été dépouillés et n'ont pas la force de survivre comme nous. Cet argent est destiné à les secourir.

– Je comprends, dit Robin avec émotion.

Laissant une partie de ses compagnons creuser le sol pour enterrer les morts, Petit Jean décide :

– Nous allons t'accompagner à Locksley, c'est plus prudent.

– Nous connaissons le chemin, grogne Orderic, qui supporte mal la compagnie des bandits.

– Quel chemin ? Celui des culs-de-basse-fosse de Nottingham ? ricane un rebelle. Si nous n'étions pas venus à ton secours, tu serais maintenant ficelé sur le dos d'un mulet comme une grosse andouille de la Trent.

– Surveille tes paroles ! s'emporte l'écuyer en portant la main à son épée.

– Paix ! ordonne Robin. Je n'aime pas le brigandage, mais j'ai une dette envers vous. De plus, ce qui se passe ici me révolte autant que vous. Voyageons ensemble, non pas pour nous disputer, mais pour discuter plaisamment comme autrefois.

Les *outlaws* approuvent avec chaleur. Comme ils sont à pied, Robin et Orderic cheminent à leurs côtés en menant leurs chevaux par la bride.

– Certains disent que Richard est mort, d'autres le prétendent prisonnier. Que savez-vous ? demande Robin.

Petit Jean fouette avec rage une branche basse :

— Ceux qui font courir le bruit de sa mort veulent s'emparer du trône. En réalité, le roi est prisonnier du duc Léopold d'Autriche.

— Que serait-il allé faire en Autriche ? demande Robin, sceptique.

— Tu devrais le savoir : tu n'étais pas avec lui en Palestine ?

— Si, mais Richard est parti trois semaines avant les autres.

— Il avait le diable à ses trousses ! ricane l'un des rebelles.

Petit Jean lui lance une bourrade qui l'expédie dans les fourrés :

— Le diable n'était pas là-bas, mais ici !

— Les manœuvres du roi de France et celles de son frère inquiétaient Richard, confirme Robin.

— Comme raccourci, l'Allemagne, on fait mieux, non ? s'étonne un outlaw.

— Il n'avait peut-être pas d'autre itinéraire, murmure Robin, pensif. L'Espagne et l'Italie lui étaient hostiles, et je ne parle pas de la France ! Nous en avons fait l'expérience.

Il lance un regard entendu à Orderic avant de poursuivre :

— Richard s'est querellé avec l'empereur d'Allemagne et Léopold, son cousin, lui a livré Richard. Mais comment le duc a-t-il osé emprisonner le roi ? Celui-ci porte la croix. Aux yeux de l'Église, sa personne est sacrée, et ceux qui enfreignent cette loi risquent l'excommunication.

– Toi aussi, tu portes la croix, lui fait remarquer Petit Jean. Cela n'a pas empêché ces maudits Normands de t'attaquer.

Robin dévisage le géant avec une fausse sévérité :

– Quel mépris ! Tu oublies que mes ancêtres étaient normands, eux aussi.

– Ce n'est pas ce qu'il y a de plus noble chez toi, grommelle le Saxon.

Les *outlaws* éclatent de rire. Robin prend un air soucieux.

– Les barons n'ont donc pas menti : Richard est bien prisonnier. Mais toi, comment l'as-tu appris ?

– Je tiens la nouvelle de la bouche même de l'évêque Ransom.

– Un homme généreux…, dit Will.

– Très généreux : nous l'avons rançonné la semaine dernière.

Robin ne partage pas l'hilarité des hors-la-loi. Il contemple avec une violente émotion la fière silhouette du manoir de Locksley.

– Te voici chez toi, dit Petit Jean en le serrant entre ses bras vigoureux en guise d'adieu. Je suis désolé pour ton père…

Le visage de Robin reflète l'inquiétude :

– Mon père, dis-tu ?

– Comment, tu n'es pas au courant ? s'exclame le géant. Mais Thomas de Locksley est mort le mois dernier !

Chapitre 4
Le seigneur de Locksley

– Messire Robin, nous sommes bien heureux de vous revoir… Il aurait aimé…

La voix du vieil intendant se brise. La mort de son maître a foudroyé Renaud Malvoisin, cet ancien guerrier, compagnon d'armes de Thomas de Locksley en Normandie et en Écosse. Et son impassibilité habituelle ne résiste pas à la vue de Robin, qui ressemble à son père.

Les valets, Roger et Godwin, et les jeunes servantes, Roselyne, Mary et Jenny, demeurent à l'écart, par respect.

– Vous n'avez pas conquis Jérusalem, n'est-ce pas ?

– Non, en effet, soupire Robin.

– Votre père en rêvait. Il disait : « Il entrera le premier par la porte de Jaffa ! »

– Le roi a renoncé à attaquer. Pourtant, la ville était à notre merci. Tu sais que Saladin est mort ?

– Thomas a appris votre magnifique victoire de Jaffa.

Robin caresse la poignée de son épée d'un air rêveur :

– Nous avons combattu à un contre cinquante. Mais, dis-moi, il a souffert ?

Renaud secoue la tête :

– Il est mort pendant son sommeil. Je l'ai trouvé au petit matin, endormi pour toujours. Il n'aimait pas ce qu'il voyait…

Les traits du vieil intendant se crispent :

– C'est maintenant le règne des rapaces et des lâches. Ne te soumets jamais à cette engeance, Robin.

– Dieu me damne si j'oublie ses leçons… et les tiennes ! Ta science des armes m'a servi face aux musulmans, de fameux guerriers !

Renaud acquiesce avec gravité :

–Te voilà seigneur de Locksley, à présent. Cette demeure a appartenu à de preux chevaliers depuis Guillaume le Conquérant. Bon sang ne ment jamais.

Il désigne les armes fixées aux murs du manoir : épées, haches d'armes, fléaux, lances, épieux, javelots, arcs… Thomas veillait jalousement sur sa collection. Chaque pièce était reliée à un exploit de ses ancêtres, et l'ensemble illustrait une légende fascinante.

Robin regarde ces trophées avec nostalgie. En l'absence de son père, le manoir paraît vide et ses panoplies ont perdu leur âme.

–Il faut ajouter cette merveille, dit l'intendant.

Il caresse le grand arc d'if que Robin a laissé à Locksley en partant en Terre sainte.

–Peu pratique pour un guerrier à cheval, remarque Robin.

–Orderic a le sien, pourtant.

–Pour chasser, oui. Tu as changé la corde ?

Renaud acquiesce :

–Boyau de porc… Voyons si tu sais encore jouer de ce bel instrument.

–Demain.

–Non, maintenant !

Robin soupire. Il voudrait rester seul pour penser à son père, s'incliner devant sa tombe, mais il sait qu'il n'échappera pas à la tradition : Renaud a été son premier maître d'armes. Chaque fois que son élève revient de voyage, il le soumet à l'épreuve de l'arc. Résigné, Robin fixe la corde sur les ailes de l'arme et tend le bois sans effort.

Renaud approuve : Robin n'a rien perdu de sa force.

– Voyons ton adresse.

Il lui tend un carquois rempli de flèches de trois pieds. Robin examine les bois durs et les empennages rouges. Le vieil intendant fabrique lui-même ses flèches avec un soin jaloux, presque avec amour. Il entraîne aussitôt Robin hors du manoir.

Derrière l'antique demeure s'étend un grand pré. Cent mètres plus loin s'élève le tronc d'un hêtre frappé par la foudre. Renaud l'a sculpté et peint en rouge pour en faire une cible.

Robin prend ses repères, étudie le soleil et le vent, puis il aligne ses flèches sur une pierre plate. Orderic et les serviteurs assistent à l'exercice.

– Un sablier ! annonce l'intendant.

Celui-ci se compose de deux ampoules. Du sable blanc s'écoule d'un verre à l'autre en une minute exactement.

Robin acquiesce. Pour quelques instants, il redevient l'adolescent d'autrefois, à cette différence que son père assistait presque toujours à ses exploits.

– Tir ! crie Renaud en retournant le sablier.

D'un geste vif, Robin saisit une flèche, l'encoche, bande son arc. La flèche s'élève vers le ciel. Le temps qu'elle atteigne le tronc, Robin a décoché la suivante. Douze flèches vont ainsi se planter dans la cible avant que l'intendant donne le signal d'arrêter, le sable étant écoulé.

Les serviteurs, admiratifs, applaudissent l'exploit de leur seigneur. Seul Orderic fait la moue :

– Autrefois, tu en mettais une de plus !

Robin lui tend l'arc :

– À toi la treizième !

L'écuyer hausse les épaules :

– Je ne suis pas le meilleur archer d'Angleterre, moi.

– Moi non plus, réplique Robin. Le fer est plus noble que le bois.

La tristesse l'envahit, car son père lui répétait cette sentence lorsqu'il évoquait la dignité de chevalier.

Sa tombe se trouve dans le verger attenant au manoir. C'est une simple pierre blanche avec un nom gravé : *Thomas de Locksley*.

Le jeune chevalier reste longtemps agenouillé devant le tombeau jusqu'à ce que son écuyer l'avertisse de l'arrivée d'un messager. Celui-ci vient de Dunford, un domaine voisin où vivent ses cousins. Aymeric Dunford, le fils de son oncle, est le meilleur ami de Robin. Une terrible chute de cheval l'a rendu infirme, l'empêchant de partir en croisade.

– Allons voir ce vieil Orphée, dit Robin.

– Déjà ? grommelle Orderic.

– Tu peux rester là, si tu veux.

L'écuyer crache un jet de salive sur le sol :

– Si je veux…

« Orphée » désigne Aymeric, qui déteste ce surnom : n'être qu'un merveilleux musicien quand on a rêvé de devenir un chevalier de légende…

Robin se débarrasse en hâte de ses vêtements poussiéreux. Il se plonge dans l'eau glacée. Renaud lui apporte une tunique, des chausses et des bottes. Sur la tunique, l'aigle de Locksley remplace la croix de Jérusalem.

– Je passerai la nuit à Dunford.

Roger a sellé des chevaux frais.

– Deux ? s'étonne Robin.

– Je t'accompagne, grogne Orderic.

Renaud regarde s'éloigner les deux cavaliers. Ses yeux brillent. Avec le retour de Robin, il revoit ses jeunes années, ses courses folles, ses combats, ses amours, la vie trépidante que l'âge lui interdit désormais.

Il bouscule les serviteurs qui bayent aux corneilles :

– Allumez le feu ! Godwin, les chevaux ! Jenny, fais macérer les viandes. Mary, prépare la chambre du baron.

– Il est parti, messire.

– Il sera là demain.

Sortis du domaine, Robin et Orderic prennent la route du nord. Celle-ci longe la corne orientale de Sherwood avant de descendre dans la petite vallée de Mansfield. Au bas de la pente, le chemin traverse une rivière sur un pont de bois. Au-delà s'arrondit le village : une cinquantaine de maisons serrées derrière un muret de pierre comme un troupeau dans son enclos.

On est samedi, jour de marché. Robin et Orderic sont pris dans la foule qui se dirige vers la place de l'église. Immobilisés, ils mettent pied à terre et conduisent leurs chevaux par la bride. Autour d'eux, les villageois, d'ordinaire joyeux, affichent des mines sombres.

Robin, étonné, interroge un homme en sarrau gris :

– C'est un enterrement ?

Le paysan crache sur le sol :

– Un enterrement, oui !

Il montre la place envahie d'une foule silencieuse. Au centre s'élève une estrade où se déroulent, selon les jours, les spectacles des bateleurs et les exécutions. Des soldats armés d'épieux en interdisent l'accès.

Sur l'échafaud, un homme, le torse nu, est lié à un poteau. Un bourreau le fouette sauvagement. Le sang coule. Un grondement hostile monte de la foule. Des poings se tendent. Des cris éclatent:

— Il est innocent!

— Honte à vous!

— Soyez maudits!

Orderic désigne les soldats avec mépris:

— Les loups du sheriff!

Robin se fraie un passage à travers les spectateurs. Un parchemin, cloué au bois de l'estrade, expose le crime, le jugement et le châtiment.

— Ce sont des mensonges, messire, sanglote une femme qui vient de reconnaître les armes de Locksley. Mon époux n'a jamais menacé les officiers du roi, je le jure devant Dieu. Il a refusé d'abandonner notre maison, c'est vrai. C'est notre seul bien. Et il a défendu notre fils que les soldats tourmentaient. À présent, le bourreau va trancher la main de mon Guillaume. S'il n'en meurt pas, il ne pourra plus exercer son métier: il est charpentier!

Sur l'échafaud, le bourreau a détaché le supplicié au dos sanglant. Il le force à s'agenouiller et lui lie le poignet droit à un billot. Puis il empoigne une hache.

D'un violent coup de bâton, l'un des gardes repousse la femme qui tente de se précipiter sur l'estrade. Révolté, Robin frappe l'agresseur au visage. Celui-ci trébuche et s'affale sur les marches de bois. L'officier qui commande la troupe pointe son arme sur le coupable. Ses hommes abaissent leurs épieux. Robin tire son épée. Les villageois, tenus en respect, reprennent courage. Ils s'avancent avec des cris de haine.

Sur l'échafaud, le bourreau est pressé d'en finir. Il lève sa hache. Avant d'avoir achevé son geste, il pousse un hurlement et laisse tomber son fer, le bras traversé d'une flèche décochée par Orderic.

La foule pousse des hurlements de joie. Bousculant les soldats, les villageois prennent l'échafaud d'assaut et libèrent le condamné.

Son épouse le serre dans ses bras en pleurant.

– Partez, leur conseille Robin. Allez dans la forêt de Sherwood, demandez Petit Jean.

– Je connais John, dit la femme en essuyant ses pleurs.

– Un hardi compagnon, ajoute un villageois dont le torse robuste et la taille sont enveloppés dans un tablier de cuir.

Tandis que le couple s'échappe avec la complicité des spectateurs, l'officier et les hommes du sheriff opèrent une retraite prudente sous les huées de la foule. Ils gagnent la halle où sont attachées leurs montures.

Avant de se mettre en selle, l'officier pointe son épée sur Robin :

– Toi, je te retrouverai, qui que tu sois !

Robin le salue d'un geste ironique :

– Robin de Locksley, n'oublie pas mon nom.

– Moi, je ne l'oublierai pas, dit une jeune fille en embrassant le chevalier. Dieu vous garde, messire.

– Dieu nous garde, oui, répète Orderic d'un air sombre. À ce train, nous aurons bientôt besoin d'une place au paradis.

Chapitre 5
Le gibet

Dans la grande salle du manoir de Dunford, la cheminée fait danser sur les murs les ombres des quatre hommes assis en arc de cercle.

Une servante dépose en silence un pichet de vin et quatre gobelets.

– Buvons à ton père, l'un des plus valeureux guerriers d'Angleterre, dit le baron.

Ils lèvent leurs gobelets après avoir versé quelques gouttes sur le sol suivant la tradition.

– Alors, seigneur du désert, conte-nous tes exploits ! lance Aymeric.

Robin évoque ses combats aux côtés de Richard Cœur de Lion. Emporté par ses souvenirs héroïques, il oublie Aymeric, qui l'écoute en frottant d'un geste machinal son bras et sa jambe estropiés. Le regard inquiet de Richard de Dunford le rappelle à l'ordre. Il interrompt son récit et demande :

– Et toi, que deviens-tu ?

– Je joue du luth et de la lyre, comme les jouvencelles. Je suis Orphée sans Eurydice, murmure Aymeric avec amertume.

Pour dissiper la détresse de son fils, le baron admoneste Robin :

– Tu as défié Gisborne, tué plusieurs de ses hommes, m'a-t-on rapporté. À peine revenu, te voilà avec une mauvaise affaire sur les bras.

Robin sourit d'un air moqueur :

– Je constate que les nouvelles vont vite dans le comté.

– Six morts, ce n'est pas une nouvelle, c'est un drame !

– Gisborne m'a attaqué. Je n'ai fait que me défendre.

– Méfie-toi de lui, dit Dunford. C'est un homme puissant, vindicatif, impitoyable. Le prince Jean le protège, le sheriff de Nottingham lui obéit, il se croit tout permis. Depuis que Richard est en prison, il fait la loi. Tous plient devant lui, de l'Écosse à l'Essex.

Robin se lève avec une telle impétuosité que sa chaise tombe avec fracas.

– Pardonnez-moi, *my lord*, dit-il en ramassant le siège. Mais j'ai du mal à supporter ce que je découvre depuis mon retour : cet homme qu'on allait pendre pour avoir chassé dans la forêt de Sherwood, ce charpentier à qui on allait trancher la main pour une peccadille…

– Quel charpentier ? demande Aymeric.

– Un certain Guillaume, de Mansfield.

– Je le connais ! s'exclame le fils du baron. Guillaume, oui, il a travaillé à notre toiture. C'est un maître !

– Alors tu seras satisfait d'apprendre que nous lui avons sauvé la vie.

– En expulsant le bourreau et les égorgeurs du sheriff, ajoute Orderic.

Richard de Dunford jette un regard soucieux à Robin :

– J'apprécie ton sens de la justice, mais il n'est pas bon de juger et de punir à la place de l'autorité légitime.

– Légitime !

– C'est le roi qui a mis en place le sheriff. Ton attitude encourage la rébellion et l'arbitraire.

Robin fait taire sa colère. Si un homme peut remplacer le père qu'il vient de perdre, c'est Richard de Dunford. Celui-ci est son parrain. C'est lui qui lui a donné ses éperons de chevalier après qu'il a servi trois ans comme écuyer en compagnie d'Aymeric.

– Je sais, my lord, dit-il avec respect. Mais, si je n'étais pas intervenu, Simon serait mort et Guillaume aurait perdu la main qui a conçu cette belle charpente.

– C'est à toi que je pense, Robin, explique le baron avec indulgence. Le roi a besoin de toi, alors ne va pas gaspiller ta vie.

– Le roi est prisonnier.

– Sa rançon a été fixée à cent cinquante mille marcs. Autant dire qu'il va rester longtemps dans les cachots de l'empereur. La reine Aliénor a taxé les seigneurs, les abbés et les dignitaires de l'Église. Mais tous ses grands seigneurs se font tirer l'oreille pour payer. Ils répercutent les impôts sur le petit peuple.

– Jean n'a pas intérêt à verser la rançon. Tant que son frère est en prison, il se croit le maître du royaume, ajoute Aymeric. Ses fidèles, Gisborne, Marlborough, Montgomery, Tickhill, détournent une partie des taxes. Avec cet argent, ils arment leurs hommes et font alliance avec le roi de France.

– Maudits traîtres ! s'emporte Robin. Que fait Aliénor ?

Le baron lève les mains au ciel :

– N'oublie pas que Jean est son fils. Si Richard venait à disparaître, Jean assurerait la succession.

– Dieu nous préserve de ce fléau ! s'exclame Aymeric.

– Il faut lutter contre ces félons, les chasser d'Angleterre !

– Seul contre des milliers d'hommes ?

– S'il le faut ! On ne peut pas les laisser piller le pays et massacrer des innocents sans réagir !

Richard de Dunford pose sa main sur celle de Robin d'un geste apaisant :

– Ce n'est pas ce que j'ai dit. Je te demande seulement d'être prudent. Je sais que c'est contraire à ta nature, mais je ne tiens pas à te perdre.

Robin opine avec ironie :

– My lord, j'essaierai de vous faire ce plaisir.

Les autres éclatent de rire.

Ils continuent à commenter la situation présente et échangent leurs souvenirs. Ils en oublient l'heure. Le crépuscule arrive.

– Tu vas dormir ici, décide Aymeric.

Robin acquiesce. Ils partagent la même chambre, comme au temps de leur adolescence. Une partie de la nuit, ils évoquent les jeunes filles dont ils étaient amoureux.

– Guenièvre est mariée, dit Aymeric. Isabelle vit en Normandie, chez son père, comte d'Évreux. Désolé de briser ton petit cœur !

Robin lui lance ses bottes à la tête en riant. Son cœur est libre. Ses années de guerre lui ont fait oublier la douceur des aventures romanesques.

– Je reviendrai la semaine prochaine, dit-il, tu me parleras de Judith et de Mary. Et tu me joueras sur ton luth *La Ballade de la pluie*.

– Ce miel écœurant ? soupire Aymeric. C'est bon pour les pucelles en mal d'amour. Pour les tueurs de ton espèce, la seule musique supportable est le tintement du fer !

Ils s'endorment enfin. À l'aube, Aymeric aide Robin à seller son cheval. Puis il admire ses armes :

– Ton grand arc ! Je n'ai jamais réussi à le tendre. Ce

n'est pas aujourd'hui que j'y arriverai ! Et cette épée ! Ce n'est pas celle de ton père. Pour cette merveille, tu as dû verser des flots d'or.

– Des flots de sang ! réplique Robin.

Aymeric hoche la tête :

– Noble monnaie !

Avant de se mettre en route, Robin va faire ses adieux à son parrain.

– Plus de défi ! recommande le baron. Attends le grand tournoi de Sheffield. Tous les champions du royaume seront là. Tu pourras t'en donner à cœur joie.

– Je serai patient, promet Robin en lui baisant la main.

Le retour se passe sans encombre. À Mansfield, le hameau semble avoir retrouvé sa joie de vivre. En reconnaissant Robin, plusieurs villageois viennent le saluer. Une jeune fille lui lance un bouquet de fleurs.

– Un beau pays, dit Robin.

– Sans ses bêtes nuisibles ! gronde Orderic.

Comme à l'aller, ils longent la forêt de Sherwood avant d'obliquer vers le sud-est en direction de Locksley. Ils franchissent une dernière colline quand ils distinguent les nuées sombres d'un incendie.

– On dirait…, murmure Robin.

Pris d'un mauvais pressentiment, il lance son cheval au galop, Orderic à sa suite. Dix minutes plus tard, ils atteignent le domaine. Une fumée suffocante s'échappe du manoir livré aux flammes. Le feu s'est propagé vers les étables, les écuries, les granges et les arbres voisins, dont les squelettes sont les seuls vestiges de l'antique demeure.

Cependant, ce n'est pas cette vision tragique qui bouleverse Robin, mais celle d'un gibet dressé à trente pas de là. Renaud Malvoisin, le fidèle intendant, se balance au bout d'une corde. Autour du cou, il porte un écriteau : *Rebelle au roi.*

Chapitre 6

Le serment

Robin secoue Roger, le plus jeune de ses valets :

– Qui a fait cela ? Qui ? Réponds !

– Les hommes du sheriff, messire, balbutie l'adolescent. Ce n'est pas ma faute. Ils étaient plus de cinquante, des archers, des chasseurs, des chiens féroces, des chariots. Ils ont pillé le manoir, emporté les troupeaux, les chevaux. Messire Renaud a voulu résister, alors…

Il désigne d'un doigt tremblant le corps de l'intendant étendu sur le sol. Robin et Orderic l'ont dépendu. Roselyn, agenouillée, marmonne des prières.

– Et toi, où étais-tu ? lui demande Robin.

Le valet secoue la tête comme pour se débarrasser d'un fardeau trop lourd :

– Seigneur, je suis allé avertir les *outlaws*, mais ils n'étaient pas là, je me suis perdu, j'ai erré dans la forêt, puis vous êtes arrivé…

– C'est bon, aide-nous, le coupe Robin.

Ils creusent une tombe à côté de celle de Thomas de Locksley. Ils ensevelissent le vieux soldat. Quand ils ont terminé, Robin lève les yeux au ciel et dit d'une voix sourde :

– Moi, Robin de Locksley, devant Dieu qui me voit et me juge, je fais serment de venger la mort de cet innocent. Tous les coupables, quel que soit leur rang, paieront ce crime de leur vie.

Il se recueille un long moment avant de poursuivre :

– Fidèle à mes vœux de chevalerie, je combattrai sans répit pour soulager les malheureux et faire régner la justice et le droit dans ce pays en proie à la violence et à la tyrannie. Je le jure sur la croix.

Il embrasse la garde de son épée et la pointe vers le sud, vers Nottingham.

Il regarde ensuite autour de lui comme s'il sortait d'un cauchemar. Il découvre une foule silencieuse derrière Orderic, Roger et Roselyn. La plupart sont des rebelles en casaques vertes. Petit Jean se détache du groupe et parle au nom des autres :

– Nous sommes bouleversés par le malheur qui te frappe, Robin. Nous étions trop loin pour intervenir, sinon… Quand les cors ont résonné, nous sommes venus aussi vite que possible, mais il était déjà trop tard. Sache que, désormais, nous veillerons sur toi.

– Combien êtes-vous ? demande Robin.

– Trois cents, environ, cent combattants, soixante bons archers…

– C'est insuffisant, dit Robin, pensif.

Petit Jean le dévisage d'un air intrigué :

– Que veux-tu faire ? Attaquer Nottingham ? Pour prendre cette forteresse, il faudrait une armée.

Robin l'interrompt avec impatience :

– Je me moque de Nottingham !

– C'est pourtant le sheriff qui a brûlé ta maison, pillé tes biens, pendu ton vieux compagnon.

– Tous les coupables seront châtiés, tu peux me faire confiance. Mais nous n'irons pas les déloger, c'est inutile : ce sont eux qui viendront à nous. Écoutez-moi attentivement.

Aussitôt, les *outlaws* font cercle autour de lui.

– Vous avez tous souffert de la cruauté et de la rapacité du sheriff et de ses complices : barons, évêques, abbés, tous grands seigneurs, parjures, fourbes, impitoyables. Ce temps-là est révolu. Pour une victime des nôtres, désormais, nous expédierons trois des leurs. Sherwood sera notre citadelle. Nul n'y entrera sans être repéré, espionné, désarmé, expulsé ou exécuté. En Terre sainte, j'ai commandé la cavalerie royale. J'ai soutenu des sièges, pris des villes, enlevé des forteresses inexpugnables. La science que j'ai acquise au cours de ces combats, je la mets à votre service si vous m'acceptez comme chef.

Petit Jean consulte ses compagnons et répond aussitôt au nom de tous :

– Commande, Robin, nous t'obéirons.

Robin acquiesce comme si cette autorité lui revenait de droit.

– Alors, voici ce que nous allons faire : d'abord recruter de nouveaux guerriers, des hommes courageux que nous entraînerons et rendrons invincibles. Notre arme sera celle-ci.

Il brandit son arc :

– Grâce à elle, nous communiquerons entre nous silencieusement au moyen de flèches de différentes couleurs. Chacune aura son langage. Des guetteurs surveilleront nuit et jour la lisière. Toutes les routes du comté longent la forêt. Nous les contrôlerons. Pas de batailles rangées. Je veux des archers fantômes capables de frapper n'importe où et de disparaître sans laisser de traces.

– Si nous sommes très nombreux, objecte un homme vigoureux vêtu de bure et ceint d'une corde, comment arriverons-nous à nourrir les hommes et leurs familles ? Nous ne pouvons pas abandonner les femmes et les enfants :

ils les prendraient et Dieu sait ce qu'ils feraient pour se venger !

— Tu as l'air d'un moine, pas d'un soldat, constate Robin. Veux-tu organiser le ravitaillement et la cuisine ? On dit les frères très gourmands.

Les *outlaws* sourient. L'homme se renfrogne.

— Je suis moine, il est vrai, gronde-t-il. Mais je manie mieux l'épée et la hache que la lardoire.

— Frère Tuck est redoutable au combat, confirme Petit Jean.

— J'ai été soldat, dit Tuck. Et grâce à ce que j'ai appris sur les champs de bataille, je viens en aide aux opprimés. Je veux protéger les victimes de la tyrannie. Non pour me venger, comme toi, mais pour servir Dieu.

— Étrange manière de prier, ironise Orderic.

— Faire le bien en éliminant les fils de Satan, je ne connais pas de plus belle prière, réplique Tuck.

— Dans ce cas, tu es un homme précieux, dit Robin avec chaleur, et je vais répondre à ton objection : si le gibier et les fruits sauvages de Sherwood ne suffisent pas à notre subsistance, alors nous prendrons ce qu'il nous faudra dans les fermes, les manoirs et les abbayes. Le vin, la bière, le blé, les bœufs, les moutons, tout cela vous appartient puisque la plupart de vous l'ont produit, élevé, livré. Il nous faudra aussi des chevaux pour nous déplacer plus vite, des armes pour combattre, et de l'argent, beaucoup d'argent.

— L'argent ne voyage pas aussi librement que le vin, fait remarquer Will.

Robin balaie l'argument d'un geste désinvolte :

– Il viendra à nous pour payer la rançon des nobles seigneurs que nous ferons prisonniers.

– En attendant, c'est ta tête qui est mise à prix, dit l'un des rebelles en exhibant un parchemin qu'il a découvert cloué à un arbre. Tu verras de ces affiches dans tous les villages des environs.

Robin lit le document et fait la moue :

– Deux cents livres ! Ce n'est pas très généreux. Lorsque je les aurai vaincus, humiliés, harcelés, forcés à la curée comme des sangliers, la récompense s'élèvera à dix mille livres. Alors, je me livrerai moi-même pour recevoir la récompense et contribuer à payer la rançon de Richard.

Les *outlaws* éclatent de rire, puis ils acclament leur nouveau chef :

– Bien parlé !

– Ils ne t'attraperont jamais !

– Nous te défendrons en nous sacrifiant jusqu'au dernier !

– Nul ne te dénoncera, même pour mille fois plus !

– Ils enverront une armée pour nettoyer la forêt, prédit Simon.

Robin lui presse l'épaule avec amitié :

– J'espère bien. Je l'attends, cette armée. J'espère que le sheriff ou Gisborne la commandera en personne. Ils voudront nous saisir et ce sont eux qui seront pris au piège. Dans ces halliers impénétrables, nous sommes chez nous. Il y a mille refuges pour nous, mille dangers pour eux. Les plus hardis disparaîtront sans même voir leur ennemi. Peu en réchapperont. Cette forêt est magique. Ses sortilèges nous sont tous favorables…

– Quand viendras-tu nous rejoindre ? l'interrompt Petit Jean.

Robin contemple une dernière fois les ruines de son manoir :

– Je n'ai plus rien à faire ici dorénavant. Mon cœur est avec vous.

– Le nôtre aussi, messire de Locksley, dit un rebelle en mettant un genou en terre.

– Ne m'appelle plus ainsi, exige Robin. Tant que Renaud ne sera pas vengé, ses meurtriers, punis et le roi Richard Cœur de Lion, délivré, je serai Robin Hood.

– Robin des Bois, oui ! C'est un beau nom, approuve Petit Jean.

– Dieu est avec toi, ajoute frère Tuck.

Robin leur sourit. Sa bouche sourit, mais ses yeux sont tristes.

– Avec nous tous, murmure-t-il, car notre cause est sacrée.

Chapitre 7

Prince et parjure

La colonne de cavaliers s'immobilise au détour de la route de Derby. Un chêne abattu barre le chemin tandis qu'un chaos de rochers interdit le détour par les prés.

Trois hommes en casaques vertes se tiennent derrière le tronc monumental. Le premier, un colosse de six pieds et demi, s'appuie sur un épieu impressionnant. Le deuxième, aux cheveux d'un rouge flamboyant, caresse un arc plus haut que lui. Le dernier, bras croisés, observe la scène d'un air amusé.

Un homme casqué et cuirassé se détache de la troupe et demande :

– Qui êtes-vous ? Des gardes forestiers ?

– En quelque sorte, répond le personnage aux bras croisés.

– Que s'est-il passé ?

– La route est coupée, messire.

– Ça, je le vois bien, rustre ! s'impatiente le cavalier. Qu'attendez-vous pour la dégager ?

– Ce n'est pas mon travail.

– Et ce travail, quel est-il ?

– Renseigner les voyageurs malchanceux. Le mieux est d'abandonner vos chariots et vos montures et de poursuivre la route à pied.

– Qui es-tu ? lance le soldat, menaçant.

– Robin des Bois pour vous servir, ou plutôt pour me servir.

Le cavalier dégaine son épée :

– Insolent, tu pourrais regretter tes paroles !

– À votre place, je ne ferais pas cela, dit Robin sans s'émouvoir. Je suivrais sagement mes conseils.

À cet instant, un seigneur, élégamment vêtu de velours cramoisi, pousse sa monture à côté du premier.

– Sais-tu qui je suis ? demande-t-il avec une feinte douceur.

Robin ôte son bonnet et s'incline :

– Certes, monseigneur. Vous êtes Geoffroy, fils du roi Henry II et archevêque d'York, quoique votre élection n'ait pas été très régulière, à ce qu'on raconte.

– Sais-tu aussi ce qu'il en coûte, brigand, de s'attaquer au frère du roi ?

– Cinq cents marcs, Altesse. La valeur de ma personne.

– En vérité, cela pourrait te coûter bien davantage si j'ordonnais à mes hommes de te pendre à cette belle branche qui t'abrite.

Robin affecte un air désolé :

– Je crains, monseigneur, que vous n'ayez pas ce pouvoir. À York ou à Londres, vous faites sans doute la loi. Mais, à Sherwood, c'est moi qui commande.

Geoffroy esquisse un pâle sourire :

– Tu m'as diverti un moment, manant. À présent, fini de rire : je suis pressé !

Il lance un ordre. Aussitôt, quatre cavaliers se détachent de son escorte et foncent sur Robin, leurs lances en avant. À l'instant où ils bondissent au-dessus du tronc, des flèches, jaillies des fourrés, les frappent et les désarçonnent.

Geoffroy regarde avec stupeur ses hommes à terre et leurs montures qui se dispersent dans la forêt.

– C'est un guet-apens, chien de Saxon ! gronde-t-il.

– Un simple péage, monseigneur, rectifie Robin. Et je

ne suis pas saxon, mais normand, tout comme vous. Encore une fois, je vous déconseille de résister. Jetez vos armes et laissez vos montures. Il est plus sage de poursuivre votre route à pied. J'ai six fois plus d'hommes que vous. Ces hommes, vous ne les verrez jamais, même à l'instant de mourir. Ceux qui désobéiront sentiront leurs fers.

– Misérables ! fulmine l'archevêque.

– Misérables, le mot est juste, réplique Robin. Nous sommes pauvres et nous avons beaucoup de bouches à nourrir. C'est pourquoi vous allez nous offrir de bon cœur vos bourses et ces quatre chariots chargés de victuailles. Dieu vous les rendra au centuple, monseigneur.

– Traître, ça va te coûter cher !

Robin sourit avec ironie :

– Cela me coûtera la vie, sans doute. J'accepte mon sort et le mot de brigand, pas celui de traître. Celui-ci vous convient mieux qu'à moi. Je suis fidèle au roi alors que vous êtes venu en Angleterre après avoir fait serment à Richard Cœur de Lion de ne pas y mettre les pieds en son absence pour quelque raison que ce soit. Vous vous êtes parjuré, ne vous en déplaise !

– Cette fois, c'en est trop ! crie un jeune chevalier en tirant son épée. Je suis Onfroy de Wallingford. Tu offenses mon maître. Tu vas payer ton insolence et ta témérité. Tu te crois tout-puissant, mais tu ne me fais pas peur. Voyons ton courage. Affronte-moi si tu l'oses.

Il talonne sa monture, qui bondit au-dessus du chêne abattu. Robin fait signe à ses hommes de ne pas tirer. Puis il saisit au vol l'épée que lui lance Will. Déjà, le cavalier est sur lui. Robin se courbe sous la lame qui le sabre au visage. Puis, avec une vivacité stupéfiante, il frappe à son tour. Le coup, asséné du plat de l'épée, atteint Wallingford à la nuque. Le jeune chevalier glisse de sa selle et se retrouve sur le sol, étourdi, tandis que Petit Jean maîtrise son cheval.

— Onfroy, dit Robin, penché sur le vaincu, j'admire ta hardiesse, mais ce n'est pas ta seule qualité : tu es aussi l'un des plus riches seigneurs du comté. Je vais donc t'offrir l'hospitalité. Tu seras traité généreusement jusqu'au versement de ta rançon. Mille marcs, qu'en dis-tu ?

Comme le reste de la troupe s'apprête à charger, Robin s'avance au-devant de Geoffroy.

— Altesse, si vous m'en croyez, évitons une effusion de sang. L'honneur commande d'affronter l'ennemi quel que soit le péril. Mais ici la mort frappera vos hommes avant qu'ils aient pu en découdre. Ce ne serait pas un combat, tout juste un sacrifice inutile. De grâce, écoutez-moi.

Le prince hésite. La fureur déforme ses traits.

— Partez, monseigneur, l'adjure l'un des seigneurs de son escorte. Laissez-nous châtier ces bandits comme ils le méritent.

Robin lève le bras. À ce signal, une pluie de flèches s'élève et se plante sous les sabots des chevaux, qui se cabrent, menaçant de désarçonner leurs cavaliers. Comprenant la vanité de la résistance, Geoffroy ordonne d'une voix sourde :

— Jetez vos armes !

Ses hommes obéissent, la rage au cœur. Puis ils descendent de cheval.

— Vos bourses ! exige Robin, impitoyable.

Geoffroy lance la sienne avec fureur dans les fourrés.

— Altesse, ironise Robin, votre générosité n'a d'égale que votre grandeur. Mes hommes vont vous escorter jusqu'à l'abbaye de Rainworth pour vous éviter de mauvaises rencontres. C'est à quatre lieues d'ici. L'abbé vous accueillera avec la dignité due à votre rang.

— Tu paieras ton audace ! enrage Geoffroy.

— À bientôt donc, monseigneur, raille Robin.

Il regarde la troupe s'éloigner à pied, tête basse, sous la surveillance de quelques rebelles à cheval. Quand elle a disparu, les *outlaws* sortent de la forêt. À la vue du butin, ils poussent des cris de joie.

— Belle prise, mon fils ! apprécie frère Tuck, qui collecte les bourses.

— Du vin, des tonneaux ! crie un rebelle juché sur un chariot.

— Du miel !

— Des jambons !

— Emportez tout ! ordonne Robin. Dételez les bêtes, brûlez les chariots.

— Trente-sept chevaux ! compte Petit Jean. C'est grandiose ! Attaquer le frère du roi, on peut dire que tu ne manques pas de culot. Ta réputation va grandir.

— Elle grandira encore, crois-moi.

Will hoche la tête :

— Nous allons avoir la visite d'une armée.

— Ce sera l'occasion d'éprouver la nôtre, dit Robin.

Il observe ses hommes qui ramassent les armes, transportent les victuailles, emmènent les chevaux. Simon bande les yeux de Wallingford. Deux *outlaws* mettent le feu aux chariots. En moins d'un quart d'heure, la place est nettoyée. Hormis quelques tas de cendres, rien ne rappelle le souvenir du convoi.

Chapitre 8
Trancher la tête pour anéantir le corps

Guy de Gisborne abat son poing sur la table, renversant un encrier et déviant la plume du secrétaire sur son parchemin maculé :

– Votre édit ridicule ne sert à rien !

– Mille marcs, cependant…, proteste le sheriff.

– Mille ou dix mille, cela revient au même, tranche Gisborne. Les récompenses promises ne servent qu'à souligner votre échec. D'autant que vos proclamations disparaissent aussitôt affichés. Personne ne trahira Locksley. Il est devenu un héros, un justicier, un guerrier invincible, l'emblème de la révolte qui s'étend un peu partout.

– Si nous brisions sa légende ? suggère Montgomery.

Le sheriff frappe dans ses mains avec enthousiasme :

– C'est ça : l'accuser de traîtrise, mieux, de lâcheté !

Gisborne lève les yeux au ciel, excédé :

– Personne ne vous croira. Le temps presse. Six convois pillés en deux mois. L'aventure me coûte une fortune. Sept de mes hommes sont morts. J'ai perdu quarante chevaux, des milliers de marcs…

Le sheriff parcourt à grands pas la salle d'armes du château de Nottingham :

– Ces rebelles sont insaisissables. J'ai envoyé cent cinquante hommes, une armée. Mes soldats ont parcouru la forêt sans rencontrer âme qui vive, à croire qu'ils s'évanouissent dans l'air.

– La vérité, c'est que vous êtes trop naïf ! le rabroue Gisborne. Naïf et incapable. Votre rôle est d'assurer la sécurité sur les routes. Or, à quarante lieues à la ronde, les bandits font la loi, et vous, vous… vous la subissez !

Le sheriff lance un regard de haine à celui qui le rabaisse

devant ses hommes. Cependant, il se garde de laisser éclater sa rancœur. Gisborne est le favori de Jean, le futur roi d'Angleterre. Un mot de lui et il serait destitué.

Tickhill, muet jusqu'alors, lève la main pour réclamer l'attention :

– Les rebelles frappent toujours à coup sûr. C'est la preuve qu'ils sont bien renseignés. Ils ont des espions partout.

Le visage de Gisborne s'illumine :

– Voilà la première parole sensée que j'entends depuis une heure. C'est évident : les bandits sont informés de tous nos gestes, de toutes nos paroles. Peut-être leurs complices nous observent-ils en ce moment.

Les seigneurs normands réunis lancent des regards soupçonneux à leurs serviteurs.

– J'ai interrogé tous les suspects et n'ai obtenu aucun aveu, intervient le sheriff.

Gisborne affiche son mépris :

– On connaît vos méthodes. Vous n'arriverez à rien avec la torture, seulement à susciter des martyrs.

– Alors, que préconisez-vous, messire ? ricane le sheriff.

– Utilisons leur stratagème.

– Vous voulez introduire un de nos espions à Sherwood ? J'ai déjà essayé…

– Vos soldats se repèrent à une lieue, même habillés en paysans. Et puis je ne veux pas de renseignements. Le temps qu'ils nous parviennent, les hors-la-loi se seront déjà volatilisés. Ils sont sans cesse en mouvement, insaisissables.

– Je vous l'ai dit : s'ils sont insaisissables, comment voulez-vous les saisir ?

– Les rebelles étaient inoffensifs avant l'arrivée de Locksley, qui est un vrai chef de guerre.

– Il s'est couvert de gloire à Jaffa, confirme Hubert de Lincoln.

Gisborne pointe un doigt accusateur sur le sheriff :

– C'est vous qui l'avez placé à leur tête. Vous avez brûlé sa demeure, pendu son intendant…

– Il avait désobéi, tué plusieurs de mes hommes !

– Nous connaissons votre diplomatie, ironise le baron.

– Vous avez été sa victime, vous aussi.

– C'est lui qu'il fallait abattre, avant de lui offrir une armée qui le met aujourd'hui hors d'atteinte. À présent, le mal est fait. Nous devons nous débarrasser de lui, trancher la tête pour anéantir le corps tout entier. Il faut envoyer un homme sûr…

– Un tueur, dit le sheriff, approbateur.

– Un justicier.

– Je crois avoir notre homme, intervient Montgomery.

– Pas l'un de vos gardes, j'espère ?

Montgomery fait un signe de dénégation :

– Un bûcheron. Il se nomme Gilbert. Il connaît la forêt de Sherwood mieux que quiconque.

– Les rebelles doivent donc le connaître.

– C'est le cas. Ainsi, ils ne se méfieront pas de lui. Il est l'un des leurs.

– Pourquoi voudrait-il exécuter Robin ?

– Il le déteste. Son frère, Aubry, servait en Palestine. Il a massacré une tribu d'Infidèles, les hommes, les femmes et les enfants. Pour le punir, Locksley l'a livré aux hommes de Saladin, qui l'ont mis à mort. À plusieurs reprises, Gilbert m'a proposé de défier Robin. J'ai refusé : face à lui, il n'a aucune chance, à supposer que Robin accepte le duel. Il faut frapper dans l'ombre, n'est-ce pas ?

– Dans l'ombre ou en plein soleil, mais à coup sûr, dit Gisborne. Ce Gilbert est-il prêt à faire le sacrifice de sa vie ?

– Si Locksley meurt avant lui, sans aucun doute.

– Alors, c'est l'homme qu'il nous faut. Quand pourrons-nous rencontrer ce personnage providentiel ?

– Il est ici, messire.

– Eh bien, qu'attends-tu pour le faire venir ? s'impatiente Gisborne.

Montgomery lance un ordre. Quelques minutes plus tard, un homme de haute stature entre dans la pièce. Gisborne détaille le nouveau venu, sa barbe noire, ses larges épaules, ses poings énormes. Il se dégage de lui une impression de vigueur et de brutalité qui le satisfait. Quand on lui explique sa mission, le visage du bûcheron s'éclaire.

– Tu devras devenir l'un des leurs, résume le sheriff.

– J'ai compris, dit Gilbert.

– Tu risques ta vie dans l'entreprise, insiste Gisborne. Gilbert hausse les épaules avec indifférence.

– Tu as une épouse ? Des enfants ?

Montgomery répond à sa place :

– Une femme et un fils.

– S'il t'arrive malheur, sache que nous prendrons soin d'eux.

– Je remercie votre seigneurie de sa générosité, dit l'homme avec gravité.

– Il faudra que ton ralliement à la rébellion ait l'air naturel, ajoute le sheriff.

Gilbert le dévisage sans comprendre.

– Nous devrons inventer un prétexte pour justifier ton irruption à Sherwood. Je propose qu'un de mes gardes fasse semblant de malmener ton épouse. Toi, tu la défendras. Tu seras puni pour avoir porté la main sur un agent de l'autorité. Tu comprends ?

Gisborne sourit, admiratif :

– Messire, vous m'étonnez !

– Est-ce un compliment ? demande le sheriff.

Gisborne acquiesce :

– Une révélation.

Il murmure à l'oreille de Montgomery :

– Je ne savais pas qu'il était nécessaire d'être intelligent pour devenir sheriff de Nottingham.

– Moi non plus, dit le baron sur le même ton.

Le sheriff fronce les sourcils :

– Que complotez-vous, messeigneurs ?

Gisborne prend un air innocent :

– Mais la même chose que vous : la mort de Robin des Bois.

Chapitre 9
Parole de chevalier

Onfroy de Wallingford essaie d'apercevoir la clairière. Il a besoin d'un temps d'accommodation : le bandeau qui l'aveuglait était trop serré, et il a marché très longtemps dans la forêt en compagnie de ceux qui l'ont capturé. Pendant le trajet, un grand diable de brigand le soutenait et lui annonçait les obstacles à franchir, ce qui ne l'empêchait pas de trébucher et de heurter les arbres, pour la plus grande joie de son guide. Son front saigne, son genou enfle, sa tunique est déchirée. « Maudite forêt ! »

Sa vue retrouvée, il découvre un vaste espace déboisé, une colline, des rochers, une grotte, des cabanes recouvertes de bardeaux et de mousse.

Robin lui sourit :

— Messire, vous allez vivre ici jusqu'à ce que votre rançon soit versée. Donnez-moi votre parole de chevalier que vous ne tenterez pas de vous échapper, et vous serez libre nuit et jour : ni chaînes ni verrous.

— En cas de refus, vous oseriez m'enchaîner ? s'indigne Wallingford.

— Sans hésiter. Votre ami, le sheriff de Nottingham, n'hésite pas à traiter ainsi mes amis.

— Lui, c'est par le col qu'il les attache, ricane un rebelle.

— Des brigands ! dit Wallingford avec mépris. Vous n'allez pas comparer ?

Le visage de Robin se contracte tandis qu'il poursuit :

— L'une de ces victimes innocentes se nommait Renaud Malvoisin. C'était un vieux soldat, loyal et courageux, qui avait combattu les Français du temps d'Henry II. Je suis moi-même seigneur de Locksley et compagnon d'armes du roi Richard Cœur de Lion.

Il s'interrompt pour le conduire dans l'une des cabanes :

— Voici votre logis.

La pièce est petite et l'ameublement sommaire : une paillasse d'herbe, une table et deux tabourets. Mais l'ensemble est propre et neuf. Les murs ont une agréable odeur de bois vivant.

— Je suppose que je dois vous remercier ? ironise le jeune baron.

— D'être toujours en vie, certes, réplique Robin. Pour le reste, je ne vous en demande pas tant. C'est moi qui vous remercierai lorsque j'aurai reçu votre rançon. En attendant, je veillerai à ce qu'on vous traite selon votre rang. Votre parole ?

— Vous l'avez !

Quelques instants plus tard, on apporte au prisonnier un parchemin, une plume et de l'encre. Il écrit à son père une lettre, qu'un messager s'empresse d'apporter au manoir de Wallingford.

Après avoir rempli cette obligation, il peut se promener dans le camp à sa guise. D'abord, il garde ses distances vis-à-vis des rustres et ne daigne même pas répondre à leurs saluts. Puis, au fil des jours, sa curiosité l'emporte sur son orgueil. Au fond de cette forêt sauvage, il s'attendait à vivre en compagnie de créatures farouches et cruelles. Au lieu de cela, il découvre des gens joyeux, hormis quelques brutes. Des femmes actives, beaucoup d'enfants en liberté, des hommes aux allures de soldats disciplinés.

Dans un pré voisin, ces derniers s'exercent à longueur de journée, à cheval ou à pied. Le maniement de la lance et les assauts à l'épée durent parfois des heures. Mais l'arc est de loin l'arme la plus redoutable. Six hommes dépassent en adresse les Gallois, réputés les meilleurs archers du monde. Et Robin est le champion incontesté de la bande. Son adresse tient du prodige. À cent mètres, il est capable de couper en deux une plume de perdrix agitée par le vent.

Ses hommes le taquinent avec un mélange d'admiration et d'envie :

– C'est bien avec cette plume-là que tu écris le mieux, Robin.

– C'est moi qui ai tué le gibier et c'est toi qui le manges !

Le chef des rebelles rit de bon cœur. Wallingford commence à reconnaître ses compagnons : un garçon aux cheveux roux, Will l'Écarlate. Un géant surnommé Petit Jean par dérision. Frère Tuck, un moine qui manie l'épée aussi bien qu'un chevalier. Gervais le Silencieux, furtif comme un animal, capable de suivre une piste sur des lieues. Jonas, qui lance les trois haches pendues à sa ceinture aussi facilement que des poignards.

Certains jours, tous ces hommes disparaissent. Sur deux cent cinquante, il en reste tout juste dix pour garder le camp. Les autres reviennent le soir, chargés de butin. Des brigands !

Le prisonnier pourrait peut-être en profiter pour s'enfuir. Mais il ignore où il se trouve. La forêt est immense et, par endroits, impénétrable. Des guetteurs sont postés un peu partout. Aucune chance de passer inaperçu. De plus, il a donné sa parole de chevalier.

De son côté, Robin a tenu ses engagements : dans les limites du camp, on traite le jeune baron avec égards.

Chaque jour, une jeune femme vient lui apporter de l'eau et changer l'herbe de sa paillasse. Elle lave son linge, balaie le plancher, suspend un peu partout des fleurs censées éloigner les insectes.

À table, il a droit aux meilleurs morceaux. Le gibier qu'on lui sert est grillé à point. Le pain est cuit chaque matin. Le vin provient d'un monastère, qui l'importe de la lointaine Bourgogne.

Les premiers temps, Onfroy restait en bout de table. À présent, il se mêle aux convives serrés autour de longues tables. Il écoute leurs histoires et se laisse aller à les questionner. Robin sourit, approbateur.

Le onzième jour de sa captivité, dès l'aube, les rebelles disparaissent comme ils l'ont fait déjà à trois reprises. À midi, la plupart des tables sont vides. Deux d'entre elles sont occupées par les femmes et les enfants. Malgré l'absence de Robin, on traite l'otage comme un invité de marque. Les plus beaux morceaux de viande, les fromages les plus savoureux lui sont réservés. Vers la fin du repas, une jeune fille lui apporte une jatte de fraises des bois. Il s'étonne :

– Des fraises ?

– Ce sont les premières, messire.

Elles ont été cueillies pour lui. Les autres convives n'ont que des noix. Pour la première fois, il se sent embarrassé. Ces rustres, qu'il aurait ignorés d'ordinaire, lui semblent plus humains et attachants que certains seigneurs qui se prétendent ses amis.

Un petit garçon, blond comme les blés, l'observe avec intérêt. Wallingford pousse la jatte vers lui :

– Tu aimes ça ?

Les yeux de l'enfant s'écarquillent :

– Oui, messire.

– Qu'est-ce que tu attends ?

Le garçonnet ne se fait pas prier. Il prend les fruits à pleines mains. Sa bouche est barbouillée. Une fillette s'approche. Ses cheveux noirs sont tressés. Elle prend quelques fraises avec timidité. D'autres viennent à leur tour. Au lieu de se disputer, ils partagent. Leurs mères sourient.

– Merci, monseigneur, dit la plus jeune.

– C'est moi qui te remercie. Le repas était délicieux. Cette forêt est généreuse.

Le visage de la femme se ferme :

– C'est Robin qui est généreux. La forêt est dangereuse.

Le charme est rompu.

La fillette aux tresses le dévisage avec gravité :

– C'est toi qui as torturé le Dresseur ?

– Qui est le Dresseur ? demande Wallingford.

– Mon grand-père.

– Et toi, comment tu t'appelles ?

– Blanche. Viens !

Elle lui prend la main. Il se lève. La mère de l'enfant veut s'interposer. Il lui sourit :

– Laissez !

Il se laisse guider à l'intérieur de la grotte. C'est la première fois qu'il pénètre dans ce lieu. La cavité est beaucoup plus vaste qu'il avait imaginé. D'abord, il ne voit rien. Il entend des toux douloureuses et des plaintes. Des lampes à huile dispensent une faible lumière sur des formes vagues. Puis ses yeux s'habituent. Il distingue des corps étendus sur des matelas de feuilles. Il y a des malades et des estropiés. Des femmes vont de l'un à l'autre.

– Voici le Dresseur, annonce Blanche en désignant un vieil homme aux cheveux blancs.

Un bandeau masque le haut de son visage.

– Ils lui ont crevé les yeux, chuchote la fillette.

– Pourquoi ? demande le baron.

– Il avait dressé un cheval sauvage. Celui-ci a lancé une ruade et blessé son seigneur. Ce n'est pas vous, Eudes ? demande-t-elle, soupçonneuse.

– Je m'appelle Onfroy, répond-il, et je dresse moi-même mes chevaux.

– Grand-père était le meilleur dresseur du pays, dit Blanche avec fierté.

Wallingford caresse les cheveux de l'enfant :

– Je te crois.

Il sort de la grotte. Au-dehors, il respire profondément. Le vent lui apporte une odeur de terre et de bois brûlé. En même temps, il perçoit une rumeur lointaine qui précède un piétinement, des hennissements, des craquements de branches mortes. Les rebelles rentrent de leur expédition. Ils conduisent leurs montures par la bride. Certains tirent des litières chargées de butin.

Les hommes, exténués, passent devant lui sans le saluer. « Des brigands ! » songe-t-il en essayant de les mépriser.

Le lendemain, dès l'aube, le camp reprend ses airs de village. Les rebelles s'activent, on entend résonner les haches des bûcherons et les scies des charpentiers. Des hommes construisent des écuries en échangeant des plaisanteries. Les femmes se rendent à la source en balançant leurs seaux de bois. Sur le pré, les guerriers s'exercent.

Onfroy les observe. Les assauts à l'épée ont déjà cessé. Robin organise un concours de tir à l'arc avec une particularité : le vainqueur aura un magnifique étalon noir conquis la veille au cours des combats. Robin ne participe pas lui-même à l'épreuve pour laisser ses chances à ses compagnons, qui se surpassent.

On reconnaît les flèches des concurrents à leur empennage de couleurs différentes. Celles de Will sont bleues. C'est lui qui gagne, avec cinq flèches au cœur de la cible dressée à cent mètres de la ligne. Plusieurs dizaines d'*outlaws* ont interrompu leur travail pour admirer les exploits des champions.

Soudain, Petit Jean tend son arc au prisonnier :

– Tu veux tenter ta chance ?

Les autres éclatent de rire. Ils se moquent de lui :

– Ses mains sont trop délicates.

– Je parie qu'il n'arrivera pas à bander son arc !

– Une arme de rustre, fi ! Quel affront pour sa seigneurie.

Sans se démonter, Wallingford saisit l'arc et se met en position. Il choisit une flèche avec soin, la soupèse, l'encoche, se concentre. Il regarde autour de lui, puis il bande l'arc, pivote brusquement et lâche sa flèche en direction de Robin.

Chapitre 10
Les otages

La flèche de Wallingford frôle le visage de Robin et frappe en plein front l'homme qui se tient derrière lui.

Le geste est si foudroyant que les spectateurs restent pétrifiés. Robin n'esquisse pas un geste. La stupeur dissipée, Orderic bondit sur le prisonnier et le terrasse. La lame de son poignard pèse sur sa gorge.

– Arrête ! crie frère Tuck. Laisse-le !

Il désigne la victime :

– J'ai vu ce misérable brandir sa hache sur Robin.

– Gilbert ? s'exclament les rebelles, incrédules.

– Tuck a raison, dit Will, je l'ai vu, moi aussi.

– Lâche-le ! ordonne Robin.

Orderic libère le prisonnier à contrecœur. Wallingford se relève avec peine.

– Que s'est-il passé ? Dis-nous, lui demande le chef des rebelles.

– J'avais déjà vu cet homme, explique le baron. Il est à la solde de tes ennemis, de Montgomery, pour être précis. Il accomplissait pour lui de sinistres besognes. Sa présence parmi vous m'étonnait. Quand je l'ai vu lever sa hache, j'ai compris ce qu'il projetait. J'ai agi sans réfléchir.

– Pourtant, moi, j'ai vu les hommes du sheriff agresser son épouse. Lui, ils l'ont fouetté jusqu'au sang, dit Simon.

Wallingford sourit :

– Tu insinues que j'ai voulu tuer ton chef ? J'aurais manqué ma cible à dix mètres ?

– Je la manque bien, moi, réplique Simon au milieu des rires.

Wallingford sourit de plus belle. Il ramasse l'arc tombé

à terre, choisit une nouvelle flèche. Orderic fait mine de l'empêcher. Robin repousse son écuyer. Le baron bande l'arc. La flèche vole et atteint la cible à cent pas.

– Joli coup ! apprécie Robin.

– Et avec une arme de rustre ! raille le prisonnier.

Le chef des rebelles hoche la tête d'un air pensif :

– Si je comprends bien, tu m'as sauvé la vie.

– Tu as l'air de le regretter.

– Tu me poses un problème, admet Robin.

– Ce problème, ton bûcheron l'aurait résolu une fois pour toutes.

Les bandits éclatent de rire. Robin, lui, conserve un air soucieux. Au bout d'un long moment, il déclare :

– Voici ce que j'ai résolu : dès cet instant, Onfroy, tu es libre. Mes hommes vont t'escorter jusqu'à ton manoir.

– Et ma rançon ? s'étonne Wallingford.

– Tu nous feras parvenir l'argent comme prévu.

– Qui te dit que je m'acquitterai de ma dette une fois libre ?

– Ton honneur. Tu as prouvé que tu en avais plus que quiconque.

– Prie le ciel que mon père soit aussi généreux que moi. N'oublie pas que c'est lui qui doit payer pour moi.

– Si je prie, ce ne sera pas pour une poignée de marcs, réplique Robin avec dédain.

– Que feras-tu de tout cet argent ? demande Wallingford avec curiosité. À force de piller et de rançonner, vos coffres en sont remplis.

– Bonne question ! s'écrie Robin.

Il s'adresse à ses hommes :

– Compagnons, qu'allons-nous faire de ce trésor ? Acheter des terres ? Des châteaux ?

– Non ! crient les rebelles.

– Un navire, peut-être, pour fuir loin de ce royaume où nos têtes sont mises à prix ?

– Non ! Non ! Non !

Les protestations deviennent plus véhémentes.

– Tu sais bien, dit frère Tuck, que cet argent est destiné à payer la rançon de Richard Cœur de Lion. Nous ne toucherons pas à un shilling qui appartient au roi.

– Bien parlé, l'abbé ! tonne Petit Jean en lui assénant une claque dans le dos.

– En somme, résume Wallingford, je dois aider Richard, moi, un fidèle de Jean et de Geoffroy ?

– Il n'y a qu'un roi en Angleterre, dit Robin avec fermeté. Et ce roi, c'est Richard Cœur de Lion.

Le baron reste un long moment silencieux. Les rebelles guettent sa réaction. Soudain, il sourit et offre sa main à Robin :

– Tu auras ta rançon, parole de gentilhomme.

Leurs deux mains s'étreignent. Les *outlaws* éclatent en applaudissements. Presque aussitôt, on amène à Wallington son cheval tout sellé. On lui remet son épée et sa bourse.

– Un vrai prince ! lance-t-il en riant.

On se demande s'il parle de Robin ou de la façon dont on le traite.

Au moment où il se met en selle, Blanche se précipite et lui tend un bandeau de cuir en disant :

– Grand-père s'en servait pour dresser les chevaux les plus sauvages.

– Il me sera précieux, assure le baron.

Retirant de son doigt la bague que lui ont laissée les *outlaws*, il l'offre à l'enfant.

– Pour ta mère. Ce bijou a appartenu à la mienne.

Les rebelles regardent s'éloigner Onfroy de Wallingford entouré de quatre cavaliers en casaques vertes. Petit Jean soupire :

– Dommage que tous nos ennemis ne lui ressemblent pas !

Robin regarde le géant d'un air ironique :

– Si c'était le cas, ils ne seraient pas nos ennemis. Renaud serait toujours vivant, et le manoir de Locksley serait encore là pour vous accueillir. Évitons de nous attendrir : les meurtriers et les félons sont encore nombreux et dangereux.

Il désigne sa petite armée :

– Tous ces hommes réclament justice. Ils s'impatientent, ils enragent, ils ont raison. Il faut frapper un grand coup.

– À quoi songes-tu ? lui demande Will l'Écarlate.

Robin ne répond pas. Les jours suivants, il demeure à l'écart. Ses compagnons ne peuvent pas lui tirer un mot.

– Ce Wallingford l'a désarmé, grogne Orderic.

Mais soudain, le cinquième jour, Robin réunit sa troupe et annonce :

– Après nos derniers succès, les convois évitent cette région. Le butin va diminuer. Je propose que nous attaquions les soldats du sheriff et les collecteurs d'impôts là où ils se trouvent.

– Il y en a partout, fait remarquer Jonas.

– Alors, nous frapperons partout à la fois.

– Tu veux scinder notre armée et l'envoyer hors de la forêt ? s'inquiète Petit Jean.

– Frapper et disparaître aussitôt, oui. Les harceler, les désorienter. Affoler cette grosse bête de sheriff comme des essaims de taons sur les flancs d'une génisse.

Will frotte sa tignasse rousse avec une vigueur joyeuse :

– Ça me plaît !

Au même instant, ils perçoivent un galop. Un cavalier surgit dans la clairière et glisse à terre, harassé.

– C'est Wilfred ! s'exclame Petit Jean en allant à la rencontre du cavalier.

D'autres *outlaws* s'empressent autour de lui. D'une main tremblante, Wilfred essuie son visage couvert de sueur et de poussière. Puis il se lance dans un discours entrecoupé de gestes convulsifs. Petit Jean l'écoute avant de revenir vers Robin :

– Tu voulais agir, tu vas être servi : Robert Durham, notre bon sheriff, a pris des otages : trois hommes et trois femmes. Il a proclamé que ces innocents seront pendus si tu ne te livres pas !

Robin se contente d'acquiescer sans s'émouvoir, puis il va questionner le messager :

– Qui a enlevé ces pauvres gens ?

– Alan et ses soldats. Ils étaient nombreux, trop nombreux pour que nous leur résistions : nous n'étions que cinq !

– Je comprends, soupire Robin. Je suppose que je n'ai pas le choix.

– Pas le choix ? s'exclame frère Tuck. Que vas-tu faire ?

– Me livrer, bien entendu. Veux-tu que ces six innocents périssent par ma faute ?

– N'y va pas ! supplie Will.

– C'est un piège ! gronde Petit Jean.

Robin hoche la tête :

– Je sais bien que c'est un piège : si je me rends, ils me pendront. Si je reste ici, ils m'accuseront de lâcheté, ce qui est pire que la mort.

Devançant les protestations de ses hommes, il demande encore :

– Où les ont-ils conduits ?

Wilfred indique le sud :

– À Nottingham.

– Nottingham, c'est logique, murmure Robin pour lui-même. Dans l'antre du monstre. Cependant, je présume que l'exécution aura lieu sur la place du marché afin que le comté tout entier soit témoin de notre défaite et de mon humiliation.

– Je persiste à penser que tu as tort, dit frère Tuck.

– Sans toi, notre armée sera désarmée et ces démons pendront dix fois plus d'innocents que les otages ! enrage Petit Jean.

Négligeant la colère du géant, Robin s'enquiert :

– Quand doit avoir lieu la pendaison ?

– Après-demain, dans la matinée, répond Wilfred.

Robin détache son épée :

– Ça me laisse juste le temps de me préparer.

– Que vas-tu faire ? s'étonne Wilfred.

Robin saisit le bras de frère Tuck et le conduit à l'écart :

– Me mettre en paix avec ma conscience.

Chapitre 11

Tu brûleras en enfer!

À Nottingham, le spectacle d'une pendaison est toujours l'occasion d'une fête lorsqu'il s'agit de châtier un brigand, un sacrilège ou le meurtrier d'un enfant. Cependant, ce jour-là, la foule est morne et muette car les gibets sont destinés à six innocents.

Les badauds assiègent la tribune construite sur le parvis de l'église St. Mary Magdalene pour accueillir le sheriff et ses nobles invités.

Du haut de l'édifice, Robert Durham regarde la multitude avec satisfaction. Il voulait donner une dimension solennelle à la pendaison. C'est un succès. Les spectateurs sont venus de tout le comté, de Derby, de Lincoln, de Northampton, et même de Newcastle. Des paysans en sarraus bruns se mêlent aux artisans en tabliers de cuir et aux bourgeois en habits du dimanche. Une cinquantaine de moines en robes blanches ont été envoyés par le prieur du monastère de Welbeck, pillé par les rebelles deux mois auparavant. Un peu en arrière, les corporations de la cité, arborant les couleurs de leurs saints patrons, forment des carrés rouges, verts, bleus et jaunes. Disloqués par la foule, ils se reforment sans cesse.

— Vous croyez que votre brigand va venir? demande Lady Ann, la blonde épouse d'un seigneur des environs.

Le sheriff lui sourit :

— Peu importe, madame. Robin des Bois va mourir aujourd'hui, quoi qu'il arrive.

Lady Ann fait la moue :

— Oui, mais de quelle manière?

— S'il se livre, il sera pendu, explique le sheriff avec complaisance. S'il ne vient pas, il passera pour un lâche.

Sa légende pâlira, et, sans légende, il n'est plus rien.

– Oui, mais dans ce cas vous allez sacrifier six innocents.

Robert Durham fronce les sourcils. La réprobation de cette jolie femme l'agace : de quoi se mêle-t-elle ?

– Des innocents ? Allons donc ! réplique-t-il. Les hameaux d'où ils viennent sont des foyers de révolte. Ces gens-là sont complices des *outlaws*. Ils les renseignent, les habillent, les nourrissent, les cachent…

Des cris l'interrompent. Une vague fait refluer les spectateurs. Ils se bousculent pour tenter d'apercevoir une charrette tirée par un cheval blanc. Les six condamnés en chemise sont agenouillés sur le plancher. Un prêtre se penche sur eux. Alan et ses hommes ouvrent la voie à coups de bâtons. Pour échapper aux soldats, les spectateurs refluent et s'écrasent sur les façades des maisons. Les marchands ont fermé leurs échoppes. Les volets craquent sous la poussée de la foule.

Sur le passage de la charrette s'élèvent des prières et des sanglots. Un grand silence leur succède quand la voiture s'immobilise au pied de l'estrade. Les gardes font descendre les otages. Ils les poussent vers l'escalier. En haut, le bourreau, son visage recouvert d'une cagoule noire, les attend devant les gibets.

– Grâce !

– Justice !

– Libérez-les !

– Assassins !

Les cris fusent. Alan et ses hommes éloignent les spectateurs les plus hardis à coups d'épieux. Par précaution, le sheriff a renforcé la garnison de Nottingham avec des troupes fournies par les prévôts des villes voisines. Il dispose en tout d'une centaine de soldats capables de réprimer une révolte toujours possible.

D'un mouvement qu'il veut majestueux, il se lève. Il a préparé un discours dans lequel il rappellera, suivant le cas, les crimes de Robin de Locksley ou sa couardise. Ce sera la seconde version, sa préférée, puisque le chef des rebelles ne vient pas.

Il savoure déjà sa victoire tandis que le bourreau passe les cordes autour des cous des condamnés. Soudain, une des femmes tombe à genoux. Les mains jointes, elle prie. Comme à ses deux compagnes, on lui a coupé les cheveux pour faciliter la pendaison. Le prêtre tempère le zèle du bourreau qui veut la relever.

Au sommet de la colline, le vent fait claquer les étendards. Des oiseaux noirs tourbillonnent autour de la forteresse orgueilleuse. Le sheriff gagne le bord de la tribune. Alan guette son signal. Lui observe les gens pressés autour de l'échafaud et les visages postés aux fenêtres des maisons. Il savoure sa toute-puissance, son droit de vie et de mort. Il va lever son bâton de commandement pour ordonner l'exécution quand une nouvelle vague fait refluer la foule.

– Robin !

– Robin des Bois !

Un cavalier vêtu de vert débouche d'une ruelle. Devant lui, la multitude s'écarte avec respect.

– Dieu te bénisse, Robin, sanglote l'épouse d'un otage.

Le chef des *outlaws* s'avance jusqu'au pied de la tribune et regarde fièrement le sheriff de Nottingham.

– On n'échappe pas à la justice du roi ! lance celui-ci d'une voix forte.

– Ni à celle de Dieu ! réplique Robin.

La foule acclame sa répartie. Furieux, le sheriff empoigne la balustrade et laisse tomber son bâton. Des rires saluent sa maladresse.

Robin met pied à terre, détache son épée et la remet à Alan.

– Je te l'avais bien dit que nous nous reverrions, triomphe le capitaine.

Le chef des rebelles sourit :

– Ta promesse est plus prophétique que tu ne crois.

– Nous verrons ce que deviendra ton bel orgueil lorsque tu te balanceras au bout d'une corde, dit Alan d'un ton fielleux.

Écartant les gardes qui veulent l'empoigner, Robin pointe le doigt sur le sheriff :

– J'ai obéi à vos ordres, messire. Tenez vos engagements : libérez ces pauvres gens.

Robert Durham incline la tête, magnanime :

– Qu'on les libère !

Le bourreau détache les condamnés et les conduit au bas de l'échafaud. La foule les accueille et les engloutit.

– Vive Robin des Bois !

Le cri éclate, suivi de centaines d'autres :

– Gloire à toi, Robin !

– Locksley !

– Vive le roi Richard !

– À bas les tyrans !

Le sheriff fulmine. Il voulait humilier son adversaire et celui-ci apparaît comme un héros. Pour briser sa superbe, Durham fait signe à Alan de hâter l'exécution. Les gardes conduisent le chef des rebelles sur l'estrade. Le bourreau lui lie les mains derrière le dos. Robin se laisse faire, impassible. Puis un notaire lie l'acte d'accusation :

— Robin de Locksley, rebelle à la couronne, convaincu d'assassinat à l'encontre des gardes du comté, coupable de brigandage, de pillage, de sacrilège, de braconnage, et autres délits. Pour tous ces crimes le condamnons à la pendaison, nous, Robert Durham, au nom du roi, et avec l'accord du grand justicier du royaume, en ce jour : 12 janvier de l'an 1194, à Nottingham, siège de notre haute autorité.

Le notaire replie son parchemin. Le sheriff lève son bâton. Des trompettes retentissent. Le bourreau saisit la corde avec l'intention de passer le nœud coulant autour du cou de Robin. Tout à coup, l'exécuteur ressent un choc, une brûlure, et regarde avec stupeur la flèche qui lui traverse le bras, puis la douleur lui arrache un cri.

En même temps, des hurlements s'élèvent : une charrette de foin, tirée par un cheval affolé, débouche sur la place du Marché. Son chargement en flammes menace d'incendier la ville. La panique s'empare des spectateurs. Ils se bousculent, se piétinent, renversent les barrières, repoussent les hommes du sheriff. Au milieu du désordre, soudain, les moines ôtent leurs robes de bure, les paysans se débarrassent de leurs sarraus, révélant des archers en tuniques vertes. Des volées de flèches s'abattent sur les gardes et sur la tribune. Des hommes tombent, d'autres s'abritent sous leurs boucliers ou bien trouvent refuge derrière les contreforts de l'église.

Profitant de la confusion, Orderic bondit sur l'échafaud, tranche les liens de Robin et lui remet son épée. Alan, impuissant, voit son ennemi sur le point de lui échapper. Il lance des ordres :

– Tirez ! Tuez-le ! Ne le laissez pas s'enfuir !

Des chevaux surviennent comme par magie. Robin et ses compagnons sautent en selle et disparaissent. Une poignée de soldats s'élancent à leur poursuite. Alan atteint le premier les écuries. Les palefreniers gisent sur la paille. La plupart des chevaux ont disparu. Il en reste six, les plus poussifs.

Alan et ses hommes n'ont pas le temps de les seller. Ils les enfourchent à cru et s'élancent vers la porte de la ville pour découvrir le même spectacle honteux : les gardes ont été désarmés et ligotés. Alan écume de rage :

– Les rebelles ? Où sont-ils allés ?

L'un des soldats indique le nord d'un air piteux :

– Par là, toute une armée !

D'autres soldats accourent. Ils sont à pied et brandissent leurs armes inutiles.

– Trop tard ! s'écrie un sergent.

Alan l'écarte d'un coup de botte. Il s'élance dans la direction indiquée. Quelques hommes le suivent. La route est déserte. Les *outlaws* ont disparu depuis longtemps, cependant Alan continue à galoper. Sa course folle calme sa fureur. Ce n'est qu'en apercevant la masse sombre de Sherwood qu'il s'arrête. Ses hommes ont interrompu la poursuite avant lui. Ils l'attendent à un quart de lieue.

Il brandit le poing :

– Maudits !

Robin des Bois l'a humilié, ridiculisé devant la population tout entière. Le sheriff lui fera payer cher son échec. Pourtant il avait préparé l'exécution avec soin, transformé la ville en camp retranché. Une fois de plus, les rebelles l'ont mystifié.

Il rêve de vengeance : détruire le repaire des brigands en brûlant Sherwood. Mais la forêt est immense et bien défendue. Incendier les hameaux des six otages, ça, oui. C'est ce qu'il fera dès le lendemain. Cette pensée l'apaise. Il sourit :

– Locksley, tu verras brûler tes amis avant de brûler en enfer !

Chapitre 12
Une bête enragée

– Thorpe, Keal, Larhill, Ogborne, il a tout brûlé ? murmure Robin, incrédule.

– Et Engston et Malwen, confirme Gervais le Silencieux. Il ne reste que des cendres.

– C'est Alan, tu en es certain ?

– Alan, oui, pour se venger, gronde Petit Jean. Il est comme une bête enragée.

– Les habitants, où sont-ils allés ? s'inquiète Robin.

– Certains dans la forêt, tu les as rencontrés. Les autres à Dunford. Tes cousins les ont accueillis. Nous leur avons distribué de l'argent. Assez pour acquérir des lopins de terre, du bétail, quelques vaches.

– C'est bien, approuve Robin.

Ils avancent en silence dans la nuit, menant leurs montures au pas. Robin essaie de percer l'obscurité :

– L'Arbre noir, disais-tu ?

Gervais acquiesce :

– L'Arbre noir, c'est le nom de la ferme. Elle appartient à Isabelle Gerson, une jeune veuve.

– Alan sera là ?

– On est mardi. Logiquement il doit y être. Il rend visite à Isabelle deux fois par semaine, le mardi et le dimanche.

– Un homme bien réglé, ironise Will l'Écarlate.

– Quel genre a-t-elle, cette femme ? demande Orderic avec mépris.

– Elle est douce et gentille.

– Que fait-elle avec un monstre pareil ?

– Il y a des gens qui apprivoisent les loups, réplique Wilfred avec un rire silencieux.

– Des loups, tu es trop indulgent, gronde l'écuyer.

Gervais immobilise sa monture et pointe le doigt :
– C'est là !

Ils distinguent une lumière à travers les arbres.

– Laissons les chevaux, dit Robin en mettant pied à terre.

Ils attachent leurs montures à une haie de buis et les confient à la garde du plus jeune. Puis ils s'avancent sans faire de bruit. La lune, perçant les nuages, éclaire le chemin.

– Seize hommes pour ce lâche, c'est lui faire trop d'honneur, grommelle Petit Jean.

– Il n'est peut-être pas seul, dit Robin. Et puis notre homme est féroce, mais ce n'est pas un lâche. Je veux le prendre vivant, le juger et le condamner en bonne et due forme.

– Pourvu qu'il soit là ! lance Wilfred, nerveux.

Robin montre un cheval attaché à la barrière de la ferme :
– Il est bien là.

Comme ils atteignent la maison, ils sont accueillis par un hennissement joyeux.

– Wild ! s'exclame Robin. C'est lui, mon vieux compagnon !

Il a reconnu son cheval enlevé par les hommes du sheriff lors du pillage de son manoir.

– Tout doux, mon beau démon, murmure-t-il en lui tenant les naseaux. Je suis venu te chercher, mais tu dois être sage. Nous galoperons au retour, je te le promets.

Pendant qu'il caresse Wild, ses hommes observent l'intérieur de la maison par la fenêtre. En bas, la pièce unique est simple et coquette : deux fauteuils de tapisserie, une table sur laquelle brille un bouquet de chandelles, un coffre de cuir clouté, un lit de braises dans une petite cheminée.

Assis dans les fauteuils, Alan et une femme blonde bavardent paisiblement tandis qu'un enfant de six ans joue sur la fourrure qui recouvre le plancher.

La scène serait idyllique sans la présence de la brute qui n'hésite pas à massacrer de pauvres gens sans défense. Cependant, les *outlaws* ont beau se dire qu'ils ont affaire à un monstre, ils hésitent. Robin, lui, ne prend pas le temps de réfléchir. D'un coup d'épaule, il enfonce la porte.

Alan a déposé son épée à terre. À la vue des rebelles, il bondit pour la saisir. Plus rapide, Robin l'écarte d'un coup de pied et appuie la pointe de sa lame sur la gorge du capitaine :

– On se retrouve, misérable !

La jeune femme, terrifiée par l'irruption de ces hommes armés, serre son enfant dans ses bras. Robin repousse Alan entre les bras puissants de Petit Jean et s'incline avec douceur :

– Vous n'avez rien à craindre, vous et l'enfant, madame. Nous n'en voulons qu'à ce démon.

– Que vous a-t-il fait ? s'écrie Isabelle Gerson, éperdue.

– Il a pendu mon intendant, mon ami, un noble et vaillant soldat. Il a massacré des femmes et des enfants, torturé des innocents, coupé des mains, crevé des yeux, brûlé des villages entiers, réduit ses habitants à la misère…

– Vous vous trompez, gémit la femme.

Robin hoche la tête :

– Hélas, non, madame. Je vois que vous êtes sincère, vous ignorez la vérité. Je vous plains : ce bourreau est Alan Mercadier, capitaine du sheriff de Nottingham. Capitaine, le mot est trop noble : son tueur, son âme damnée !

La jeune femme secoue la tête avec désespoir :

– Non, c'est impossible. Alan, dis quelque chose !

– Il ne vous dira rien, poursuit Robin, impitoyable. Cet homme n'est pas seulement un monstre, c'est aussi un fourbe. Je ne sais pas ce qu'il a pu inventer pour vous séduire, mais, quoi qu'il vous ait raconté, il a menti. Vous me semblez bonne et honnête. Vous étiez avec lui comme un oiseau face à un serpent : fascinée, aveuglée, prête à absorber son venin. Remerciez-nous de vous en délivrer.

– Trêve de discours ! crache Alan avec mépris. Finissons-en ! Faites ce que vous êtes venus accomplir.

– C'est donc vrai ! balbutie la femme, épouvantée.

– Restez ici avec l'enfant, lui ordonne Robin.

Il sort à la suite des *outlaws* qui entraînent Alan vers le bois où ils ont abandonné leurs montures. Robin détache Wild et le conduit par la bride.

Lorsqu'ils sont assez loin de la ferme, Robin désigne frère Tuck au prisonnier :

– Ce compagnon est homme de Dieu. Si tu veux confesser tes crimes, il est encore temps.

– Mes crimes ? ricane le capitaine. Je n'ai fait qu'exécuter les ordres de mon maître.

Wilfred crache au pied du bourreau :

– Ton maître ? Le diable !

– N'as-tu aucun remords vis-à-vis de tous les innocents que tu as assassinés ? insiste Robin.

Alan croise les bras avec fierté :

– Aucun. J'ai fait mon devoir. Ce moine devrait en faire autant et prier Dieu au lieu de massacrer les serviteurs du roi.

Indifférents à ses insultes, les rebelles enflamment trois torches et les plantent dans le sol pour éclairer le lieu de l'exécution. Puis ils lui lient les poignets derrière le dos et attachent une corde à la branche d'un arbre. Malgré tout son orgueil, Alan ne peut s'empêcher de blêmir.

– Alan Mercadier, dit Robin, tu as pendu sans jugement ni motif Renaud Malvoisin, Aimery Longfield, Henry de Kirck, Robert Shark, John Ardley, et bien d'autres dont le seul crime était de résister à la tyrannie de ton seigneur. Pour tout cela, tu vas mourir.

Le prisonnier chancelle, ses lèvres tremblent.

– Mais, bien que tu l'aies mérité, tu ne mourras pas de cette manière ignominieuse, ajoute Robin.

D'un coup de poignard, il tranche les liens du tueur et ordonne :

– Donnez-lui une épée.

Lui-même tire la sienne et salue :

– Montre-toi digne de l'honneur que nous te faisons.

Alan regarde les bandits d'un air soupçonneux :

– Tu veux vraiment te battre avec moi ?

Robin incline la tête :

– Le jugement de Dieu.

– Si je suis vainqueur, j'aurai la vie sauve ? murmure le prisonnier, incrédule.

– Tu as ma parole.

– Dans ce cas…, dit Alan en saisissant l'arme que lui tend frère Tuck.

Sans avertissement, il porte un coup à son adversaire. Il croit triompher par traîtrise, mais Robin pare l'attaque avec une aisance stupéfiante. Il se contente ensuite de contenir les assauts furieux de la brute sous les regards attentifs de ses compagnons.

Emporté par son élan, Alan trébuche. Robin fait deux pas en arrière pour lui permettre de retrouver son équilibre et son souffle. En même temps, il baisse sa garde, exposant volontairement sa poitrine. Voyant l'ouverture, Alan se fend soudainement. D'un geste vif, Robin détourne l'épée et riposte d'estoc. Sa lame pénètre dans le cœur du meurtrier, qui tombe sur le sol, les bras en croix.

– Belle leçon d'escrime ! s'exclame Petit Jean, admiratif.

– Belle, certes, mais ce chien ne méritait pas de mourir en guerrier, proteste Orderic.

– Tu as raison, réplique Robin. Cependant, nous ne pouvons pas nous comporter comme ces tortionnaires, à moins de céder à la vengeance au lieu d'appliquer la justice.

– Lui t'aurait pendu sans hésiter, dit l'écuyer d'un air buté.

Robin secoue la tête :

– C'est ce qui nous distingue, lui et moi. Je sais que Renaud me voit et m'approuve. Il m'a enseigné l'art de combattre et la fierté de triompher noblement.

Chapitre 13
Marianne

Le convoi s'étire vers Lincoln sur près d'un quart de lieue.

– Quatre-vingt-deux cavaliers, compte Petit Jean.

– Presque autant d'hommes à pied, et huit chariots, ajoute Will.

– Je me demande où se dirige cette armée…, murmure Robin d'un air pensif.

– À Lincoln, répond l'Écarlate.

– Ça, je sais, mais ensuite ?

– Des chariots aussi bien gardés doivent contenir des trésors, dit Wilfred, les yeux brillants de convoitise.

– Des trésors comme ceux de vendredi dernier, ironise Petit Jean.

Six jours auparavant, mal renseignés, les rebelles ont attaqué un convoi et trouvé, sous les bâches des chariots, des pierres destinées à la reconstruction de la cathédrale de Lincoln.

– Cette fois, je flaire une odeur de vrai butin, murmure Will.

– On bavarde ou on attaque ? s'énerve Petit Jean.

– Patience ! dit Robin, qui observe avec attention la lisière de la forêt et les collines voisines.

– Dans quelques minutes, il sera trop tard, ils seront hors de portée de nos archers, lui fait remarquer Petit Jean.

– Il y a quatorze arbalétriers, compte Orderic. Il faudra les frapper en premier.

Robin acquiesce :

– Transmets la consigne.

Petit Jean s'empresse d'obéir avec soulagement. Pendant un instant, il a craint de voir Robin renoncer au butin. Depuis quelques jours, le comportement de leur chef le déconcerte. Lui, toujours si prompt, hésite, discute au lieu d'agir, et ordonne souvent de sonner la retraite.

Ce jour-là, Robin retrouve toute son énergie. Enfourchant Wild, il rattrape la caravane, longe au galop la file des cavaliers et des chariots. Après l'avoir dépassée, il fait volte-face et lève la main. Six *outlaws* l'ont rejoint. Le convoi s'immobilise. Les soldats entourent les chariots dans une attitude défensive. Contrairement aux troupes que les hommes de Sherwood ont déjà affrontées, celle-ci ne semble pas étonnée par leur apparition.

Robin pousse son cheval vers un cavalier en armure, dont la tunique est ornée d'un faucon rouge :

– Messire, est-ce vous qui commandez ?

Le cavalier relève sa visière, révélant un visage jeune et avenant :

– C'est bien moi, je suis le comte de Penbroke.

– Monseigneur, je suis honoré de vous rencontrer, dit le chef des *hors-la-loi*. Je me nomme Robin des Bois.

– Je sais qui vous êtes.

– Dans ce cas, vous devez savoir aussi ce que je veux, et me le donner de bon gré. C'est un conseil entre gentilshommes.

Le comte esquisse un sourire :

– Conseil pour conseil, je crois que vous seriez avisé de disparaître, messire Robin. Car je ne vous céderai rien, mais pourrais fort bien vous prendre la vie.

À ces mots, il lance un ordre. Ses arbalétriers et ses archers se mettent en position de tir. De leur côté, les cavaliers de l'escorte dressent leurs étendards et abaissent leurs lances.

Robin secoue la tête d'un air réprobateur :

– Je pense que vous sous-estimez ma force, monseigneur.

– Et vous la mienne.

Le comte fait signe à l'un de ses capitaines. Un cor résonne. Aussitôt, les rebelles entendent un galop furieux. De nouveaux cavaliers surgissent du revers de la colline et convergent vers le lieu de l'embuscade. Robin repère leurs habits noirs et leurs haches. « Des mercenaires », pense-t-il.

– Le combat sera plus animé que prévu ! grommelle Orderic.

– À couvert ! ordonne Robin.

Les sept rebelles galopent vers la forêt, poursuivis par les arbalétriers et les archers du Faucon rouge. Will, atteint à l'épaule, pousse un cri et s'affale sur l'encolure de son cheval. Robin le soutient jusqu'à ce qu'ils soient à l'abri des taillis.

Dès les premiers tirs, les brigands ont riposté. Les flèches jaillissent des frondaisons et frappent les soldats à découvert. Les arbalétriers s'écroulent les premiers. Cependant, la cavalerie noire atteint celle du Faucon. Ensemble, elles foncent vers la forêt, franchissent les fourrés, prenant pour cibles les archers de Sherwood, dont les casaques se confondent avec le feuillage.

Des silhouettes passent dans l'ombre des arbres. Les cavaliers de Penbroke les poursuivent sans se douter qu'il s'agit de leurres destinés à les attirer plus profondément dans la forêt. Des cors résonnent et se répondent. Aussitôt, des filets tombent du haut des arbres. Faits de fibres végétales, ils dressent une barrière mouvante où s'empêtrent les chevaux. Les cavaliers paralysés sont la proie des archers rebelles, qui les déciment.

Abandonnant leurs montures, les mercenaires attaquent les filets à coups de haches. Une pluie de flèches s'abat sur eux. Ils s'effondrent. Les survivants s'enfuient. Ceux qui ont la chance de retrouver leurs chevaux s'échappent, poursuivis par les archers de Sherwood qui les harcèlent jusqu'au sommet de la colline, où les survivants disparaissent.

Maîtres du terrain, les *outlaws* poussent des hurlements de triomphe.

Robin, lui, examine tristement le champ de bataille. Il n'a pas souhaité ce massacre. Les rebelles ont peu de victimes : cinq ou six blessés. Leurs adversaires, par contre, comptent une cinquantaine de morts.

Les bandits ramassent les armes des vaincus et inspectent le chargement des chariots en poussant des cris de joie. Orderic interpelle Robin :

— Tu devrais venir voir !

Le chef des rebelles rejoint son écuyer devant un chariot qui, au lieu du faucon rouge de Penbroke, porte les trois léopards de Richard Cœur de Lion.

— Le roi ? s'exclame Robin.

L'écuyer écarte une tenture de velours. À l'intérieur du véhicule, deux jeunes filles d'une grande beauté sont assises. L'une, blonde et frêle, tremble de frayeur. L'autre, brune aux yeux bleus, dévisage les rebelles avec mépris.

— Nobles damoiselles, rassurez-vous, vous n'avez rien à craindre, leur assure Robin.

— Rien à craindre, vraiment ? s'exclame la brune. Je

n'en dirais pas autant de vous : je me nomme Marianne Fitzwalter et suis filleule de Richard Cœur de Lion. En vous attaquant à nous, c'est au roi que vous avez livré bataille.

Robin s'incline avec respect, la main sur le cœur.

—Je suis Robin de Locksley, dit-il. J'ai souvent combattu aux côtés de Richard, jamais contre lui. Soyez assurée, milady, que, si j'avais été prévenu de votre présence, j'aurais respecté votre arroi[1].

—Inutile d'essayer de m'abuser, messire brigand, s'emporte Marianne. Votre réputation vous précède. Depuis des mois, vous pillez le comté, et vous renonceriez à me rançonner alors que la plupart des nobles seigneurs des environs l'ont été d'une façon ignominieuse ?

Dans sa colère, elle secoue la tête avec tant d'indignation qu'un de ses peignes d'or se détache, libérant ses boucles brunes.

Devant tant de beauté, Robin reste muet. Marianne, elle, ramasse son peigne et le lui lance au visage en disant avec mépris :

—N'oubliez pas ce bijou, il manquerait à votre butin !

Ensuite, elle se tourne vers la fille blonde, sa suivante, qui a éclaté en sanglots.

—Calme-toi, Léonore, ma mie. Ces bandits ne te feront pas de mal. Ils craindraient trop de perdre leur rançon.

Vexé, Robin s'adresse à Orderic et à Petit Jean qui observent la scène en riant.

—Une rançon ? Pourquoi pas ? Je n'y avais pas songé,

---

1. L'arroi est l'équipage accompagnant un grand personnage.

mais, entre nous, l'idée n'est pas mauvaise. Voyons un peu… Combien pourrions-nous exiger en échange de ces nobles jouvencelles ?

Comme ses compagnons ne répondent pas, il suggère :

– Dix marcs ? Non, c'est trop. Où trouveraient-ils pareille somme ? Quatre marcs me semblent judicieux. Quatre marcs, c'est dit !

– Pillard, assassin, et stupide par surcroît ! enrage Marianne, qui ne goûte pas la plaisanterie.

Robin referme prestement la tenture pour échapper à la fureur de la jeune fille. Abandonnant le chariot princier, il se préoccupe des blessés. Parmi eux figure le comte de Penbroke, atteint d'une flèche à la jambe.

Après avoir extrait le fer, frère Tuck a bandé la plaie pour arrêter l'hémorragie. Robin se penche avec sollicitude sur le jeune gentilhomme :

– Monseigneur, notre chirurgie est sommaire et notre forêt, inhospitalière. Nous allons vous conduire à l'abbaye de Newstead. Les moines sont impitoyables avec les pauvres gens, mais ils ont des égards pour les gens comme vous. Il y a parmi eux de bons médecins, ils prendront soin de vous.

– Lady Marianne ? balbutie le blessé.

– Ne vous inquiétez pas, monseigneur : elle est en sécurité.

– Merci, murmure Penbroke. On m'avait dit…

Robin Hausse les épaules :

– Que j'étais un monstre ? C'est peut-être le cas : un monstre aux yeux des puissants, un saint pour les pauvres. En réalité, je ne suis ni l'un ni l'autre, mais un homme tout simplement. Un homme révolté par l'injustice et, en dépit des apparences, un fidèle sujet du roi…

Il cesse de parler en constatant que le blessé a perdu connaissance.

Chapitre 14
Le message de la honte

– Pourquoi ne puis-je regarder au-dehors ? se révolte Marianne.

Robin soupire en simulant un profond regret :

– Le lieu où je vous conduis est secret, milady. Vous ne devez sous aucun prétexte connaître le chemin de notre repaire.

La jeune fille dévisage son geôlier sans cacher son dégoût. Robin s'est installé dans leur chariot avec un sans-gêne révoltant. Assis en tailleur, face à elles, il leur sourit, insolent, exaspérant.

Il ne manque pas d'allure et pourrait être charmant, en d'autres circonstances, s'il n'était pas devenu le pire des brigands. Un homme dangereux.

Robin, lui, dissimule l'émoi que suscite en lui Marianne sous des propos caustiques qui hérissent la jeune fille.

– Seigneur de Locksley, ironise-t-elle avec l'intention de le blesser, j'ai eu l'occasion de voir vos titres de noblesse.

Le chariot s'est remis en route. Il cahote sur le chemin, au milieu des hennissements et des grincements des essieux. Les hors-la-loi s'interpellent. Des cors sonnent. Marianne brûle de jeter un coup d'œil sur le convoi, mais, à sa première tentative, Robin l'a retenue par la taille, et elle ne veut pas lui fournir une autre occasion de porter les mains sur elle.

Elle décide de le pousser à bout. Si elle y parvient, peut-être quittera-t-il le chariot. Avisant la magnifique épée suspendue à son épaule, elle dit avec dédain :

– Le fruit d'un pillage, je présume ?

Il se met à rire de bon cœur :

– Qui sait ? C'est votre parrain qui me l'a donnée. Sans

doute a-t-il dépouillé un riche ennemi, l'un de ces seigneurs musulmans au train de vie fastueux que nous avons vaincus en Palestine.

La jeune fille lui lance un regard incrédule :

– Le roi Richard ?

– Pourquoi ? Vous avez d'autres parrains ?

Elle lève les yeux au ciel :

– Richard Cœur de Lion, récompenser un pillard ?

– Un croisé, rectifie Robin. Vous me direz : c'est parfois la même engeance.

– Un croisé, vous ? raille-t-elle. Pour racheter vos crimes ?

– S'il vous plaît de le croire !

Cette fois, elle a réussi à le blesser. Elle pense qu'il va bondir hors de la voiture, il le ferait, sans doute, mais il est trop tard : le chariot s'immobilise. Robin écarte les tentures et constate :

– Nous sommes arrivés !

Léonore presse son poing sur ses lèvres. Marianne elle-même, malgré son courage, ne peut s'empêcher de frémir en songeant au sort qu'on leur réserve. Elle ignore la main que lui tend Robin pour l'aider à descendre. Celui-ci n'insiste pas. Il se contente d'attacher la tenture aux arceaux du chariot. En se penchant au-dehors, Marianne aperçoit, au lieu de Sherwood, une porte de bois cloutée, de hauts murs surmontés d'un clocher. Elle dévisage le hors-la-loi avec stupeur :

– C'est…

– L'abbaye de Newstead, oui. Les moines prendront soin de vous, ainsi que des blessés qui attendent sur ces chariots.

Il s'incline avec courtoisie :

— Milady, pardonnez-moi la frayeur que je vous ai causée et le dégoût que je vous inspire. J'aurais aimé vous rencontrer en d'autres circonstances, mais le destin en a décidé autrement.

Sur ces paroles, il bondit sur le cheval que lui amène Petit Jean, puis il s'éloigne avec les trente compagnons qui l'ont aidé à escorter le convoi.

Les portes de l'abbaye se sont ouvertes. Les chariots pénètrent dans l'enceinte. Étourdie, Marianne n'a pas bougé. Robin aperçoit sa silhouette mince, sa robe de velours bleu, couleur de ses yeux, ses boucles brunes détachées. C'est le souvenir qu'il veut conserver d'elle, sachant qu'il ne la verra plus.

— On dirait que cette merveilleuse créature t'a blessé en plein cœur, le taquine Will.

— Méfie-toi d'elle, mon fils, conseille frère Tuck. Les femmes de son espèce désarment les chevaliers les plus valeureux.

Orderic observe son maître d'un œil critique :

— Je crains que le mal ne soit fait !

Las de leurs plaisanteries, Robin lance Wild au galop vers Sherwood. Là se trouve sa vie, désormais, parmi les proscrits et les déshérités.

En atteignant la forêt, il constate avec satisfaction que les rebelles ont fait disparaître les traces du combat. Des tombes ont été creusées à l'abri des arbres. Les prisonniers et les blessés ont été libérés, suivant les instructions de Robin. Cependant, en arrivant au camp, il est surpris de découvrir un inconnu attaché à un arbre.

– C'est un messager, annonce Gervais, triomphant.

– Un messager ? Pourquoi le traiter de cette manière ?

– Son message n'est pas ordinaire, répond Gervais d'un air mystérieux.

L'homme ne porte pas les couleurs des seigneurs du pays. Une simple robe brune, déchirée sans doute au cours de son arrestation.

– Qu'on le libère ! ordonne Robin.

– Attends d'avoir lu la lettre, dit Simon.

Il brandit un étui de cuir et en tire un parchemin scellé de cire rouge. Le sceau brisé laisse tout de même apparaître le symbole d'un aigle aux ailes déployées.

– Gisborne !

– Le courrier est adressé au prince Jean.

Robin fronce les sourcils : nul ne sait lire chez les *outlaws*.

– Comment le sais-tu ?

– Le curé de Mansfield me l'a dit.

Le vieux prêtre vient parfois apporter la communion et consoler les mourants. C'est un brave homme, cependant Robin n'aime pas le voir mêlé à leur guerre.

– Il sera discret, précise Gervais.

– Je sais.

Robin déroule le parchemin et lit la missive. Celle-ci est rédigée en français. Par chance, il a appris la langue d'oïl en Palestine. Au bout de quelques instants, il serre la lettre entre ses mains comme s'il voulait étrangler celui qui l'a dictée :

– Maudits traîtres !

Ses compagnons l'entourent, impatients de savoir ce qui provoque sa fureur.

– Cette lettre infâme répond à celle du prince Jean, explique-t-il. Elle prouve que le frère du roi a trahi Richard Cœur de Lion en s'alliant au roi de France. Il s'agit pour eux de faire pression sur l'empereur d'Allemagne pour qu'il garde Richard en prison.

– Judas ! fulmine frère Tuck.

– Je croyais que le roi était sous la sauvegarde de l'Église, fait remarquer Petit Jean.

– Il l'est.

– Bien sûr que non, puisqu'il est emprisonné comme un bandit. Le pape devrait excommunier les coupables de ce forfait.

– L'empereur ? Le roi de France ? dit Robin. Il n'a pas assez d'autorité pour affronter d'aussi puissants souverains, à moins que…

– À quoi penses-tu ? le presse Petit Jean.

– À moins de fournir à la reine Aliénor la preuve de la trahison de Jean et des manœuvres de Philippe Auguste.

Frère Tuck plisse le front d'un air sceptique :

– Tu crois qu'elle punira Jean ?

– Le punir, non, répond Robin. Jean est son fils. Mais elle peut le neutraliser. Elle ne nourrit aucune illusion sur sa loyauté. Elle le sait capable de tout pour s'emparer du trône. Il faut lui envoyer un messager avec la lettre de Gisborne qui prouve la félonie de Jean.

– J'irai à Londres, décide Orderic.

Robin acquiesce : son écuyer est le meilleur cavalier et l'homme le plus avisé.

Le chef des *outlaws* se retire aussitôt pour rédiger la lettre destinée à la reine. Il hésite à lui annoncer qu'il lui apportera bientôt vingt mille marcs pour la rançon du roi. Comme il demande son avis à Petit Jean, le géant s'exclame :

— De toute façon, nous n'avons pas une somme pareille !

Frère Tuck joint les mains d'un air pieux :

— Il reste encore de riches abbayes, mon fils.

— Et il faut soulager la tâche des collecteurs d'impôts, dit Will, qui arbore un pansement à l'épaule.

— Soulager ces vautours, tu parles ! le taquine Gervais. Avec ton bras infirme !

— Si je ne peux pas transporter les marcs, je peux fort bien les compter ! réplique l'Écarlate.

Les rebelles éclatent de rire. Puis Petit Jean, reprenant son sérieux, désigne le prisonnier :

— Que faisons-nous de notre héraut ?

— Si on le découpait pour nourrir nos porcs ? suggère Simon. Ces pauvres bêtes ont faim.

Le messager s'agite dans ses liens. Il voudrait supplier, mais un bâillon étouffe ses prières.

D'un coup de lame, Robin tranche le cuir qui le muselle.

— Seigneur, grâce, bégaie l'homme.

— Rassure-toi, il ne t'arrivera rien, lui promet Robin. Mes compagnons voulaient seulement te taquiner. Nous te sommes reconnaissants de nous avoir apporté la lettre de Gisborne.

À sa pâleur, on voit que le prisonnier n'apprécie guère la plaisanterie.

— Du reste, nos porcs ne voudraient pas de toi, conclut Simon.

Chapitre 15
Le cœur brisé

Entre les murs sombres du manoir de Maubray, Marianne Fitzwalter se sent prisonnière. Pourtant la demeure est belle et la chambre qui lui a été réservée, confortable. C'est l'abbé de Newstead qui lui a conseillé de faire étape à Maubray avant de gagner Londres. « Là, vous obtiendrez l'escorte qui vous convient », a-t-il assuré. Marianne s'est rendue à ses arguments. À présent, elle ne peut s'empêcher de penser qu'elle a eu tort : le manoir appartient à Guy de Gisborne, un seigneur arrogant, grossier et brutal.

Depuis une semaine, le baron la retient à Maubray, prétextant l'arrivée prochaine du prince Jean. Or, cette venue est retardée de jour en jour.

– Nous sommes beaucoup mieux ici que sur les routes, soupire Léonore.

Marianne jette un regard soucieux à sa fille d'honneur.

– Sans doute, mais nous serions mieux à Londres qu'à Maubray. Je me demande si la reine Aliénor a reçu mon message. Il est surprenant qu'elle ne m'ait pas répondu.

– Avec tous ces bandits…, murmure Léonore, frissonnante.

La jeune fille ne s'est pas remise de sa rencontre avec les *outlaws* de Sherwood. Plusieurs soldats de la garde de Penbroke sont morts au cours de la bataille. Elle en connaissait certains, et les pleure.

Marianne, elle, pense à Robin. Elle a mal jugé le rebelle. À ses yeux, il était un pillard impitoyable, alors qu'il l'a ménagée et conduite en lieu sûr sans exiger la moindre rançon.

– Il paraît qu'il est gentilhomme, dit-elle étourdiment.

– Guy de Gisborne ! murmure Léonore, admirative. Certes, un des plus grands seigneurs d'Angleterre !

– Je ne te parle pas de lui, sotte ! la reprend Marianne.

– Et de qui donc ?

– De Robin des Bois.

– Ce brigand ? s'exclame Léonore, horrifiée.

– Il se nomme Robin de Locksley. Ses ancêtres normands descendent des compagnons de Guillaume le Conquérant. Lui-même a combattu héroïquement en Terre sainte aux côtés du roi Richard. Tout ce qu'il nous a raconté est vrai. L'abbé de Newstead me l'a confirmé. On ne peut pas le soupçonner d'indulgence vis-à-vis de Robin, qui l'a dépouillé.

– Noble ou pas, il a massacré nos gens ! s'indigne Léonore. Votre ami, Raoul de Penbroke, a failli y perdre la vie.

– Le comte va mieux, dit Marianne. Les rebelles l'ont soigné.

Léonore secoue la tête avec obstination :

– C'est le frère Anselme qui l'a guéri. Un fameux médecin.

Marianne la menace du doigt en riant :

– Tu n'aimes pas beaucoup Robin, à ce que je constate.

– Ce bandit ! Comment pourrait-on l'aimer ?

« Comment, en effet ? » songe Marianne. Elle revoit avec émotion le beau visage du rebelle, son regard franc, son maintien plein de noblesse, son sourire ironique qui l'a mise hors d'elle. Et elle songe que, dans sa situation, bien des grands seigneurs du royaume l'auraient plus mal traitée.

Un tumulte interrompt ses pensées. Depuis l'aube, une agitation inhabituelle trouble la paix du manoir. Ce tourbillon s'accompagne soudain de sonneries de trompettes et de courses effrénées. Marianne se prend à espérer que l'escorte qu'on lui a promise est en train de se rassembler. Elles pourront enfin partir à Londres. Elle ordonne à Léonore :

– Va voir ce qui se passe.

Au même instant, Isabelle de Setton, l'épouse du cousin de Guy de Gisborne, frappe à sa porte :

– Milady, sa seigneurie vous demande.

– Gisborne ? dit Marianne.

– Le prince Jean est arrivé. Il vous attend dans la salle bleue.

Marianne se lève vivement :

– Veuillez dire à son altesse que je descends.

Isabelle s'incline avec un sourire chaleureux. Une sympathie spontanée est née entre les deux jeunes femmes, dans ce grand château presque exclusivement peuplé d'hommes.

– Ma robe blanche ! exige Marianne.

Léonore a plaisir à habiller et coiffer sa maîtresse. Puis elle attache ses bijoux à son cou et à ses poignets. Quand elle a terminé, elle joint les mains :

– Que vous êtes belle, milady ! On dirait un ange !

Marianne réprime un sourire :

– Souhaitons que le prince soit de ton avis, car j'ai beaucoup à obtenir de lui.

Elles se rendent aussitôt dans la grande salle du manoir. Marianne est rassurée : l'insistance de Gisborne pour la retenir à Maubray n'était pas un prétexte : le frère du roi est là comme prévu.

Jean occupe le fauteuil seigneurial devant une grande cheminée. Vingt seigneurs anglais et angevins se tiennent autour de lui. Marianne reconnaît Guy de Gisborne, son cousin Hugues de Setton, Robert de Montgomery, Onfroy de Wallingford, Édouard de Tickhill, Roger de Mortemer et Geoffroy, le demi-frère du roi.

– Milady, vous êtes plus belle de jour en jour, déclare le prince en se levant pour accueillir la jeune fille qui s'incline avec grâce. Je constate avec plaisir que les épreuves que vous avez subies ne vous ont pas affectée.

– Beaucoup sont morts, dit-elle avec tristesse. Mais les rebelles m'ont protégée. Et ils ont épargné nos compagnons blessés, en particulier le comte de Penbroke.

– Robin de Locksley n'est pas dépourvu d'honneur, confirme Wallingford.

– Il vous a tout de même extorqué une fortune, fait remarquer Tickhill avec aigreur.

– Après m'avoir libéré sur parole. Ce n'est pas l'attitude d'un brigand.

– Votre sympathie pour cet assassin m'étonne, intervient Gisborne d'un ton glacial.

– C'est celle qu'on témoigne à un adversaire loyal.

– Loyal ! s'écrie le prince Jean. Allons donc, Wallingford, cet homme est un rebelle, un ennemi de la couronne. Il faut l'abattre comme un chien enragé !

– Nous avons offert une énorme récompense pour sa capture, Altesse, dit Robert Durham.

Le prince toise le sheriff avec mépris :

– On dit que vous l'avez arrêté et laissé fuir.

– Tout le pays lui est acquis, altesse.

– À qui la faute ? Cette anarchie… Voilà bien l'état lamentable dans lequel Richard a laissé le royaume en l'abandonnant aux mains des bandits comme Locksley ou d'incapables tel Guillaume Longchamp. Il est temps de mettre de l'ordre en Angleterre et d'assurer la sécurité de nos sujets. La vôtre, en particulier, milady, qui êtes chère à nos yeux.

En disant cela, le prince prend les seigneurs présents à témoin.

– Je remercie votre altesse de l'intérêt qu'elle me porte, répond Marianne.

Jean sourit, paternel :

– Vous aurez tantôt une raison de plus de me témoigner votre gratitude. Voyez-vous, ma chère enfant, il n'est pas avisé de laisser une riche héritière telle que vous à la merci du premier prédateur venu. C'est pourquoi nous avons décidé de vous marier.

– Me marier ? répète Marianne, abasourdie.

– Vous marier, oui. À dix-huit ans, vous êtes en âge de contracter une union qui mettra vos domaines à l'abri des convoitises. Pour cela, nous devons vous choisir un époux capable de veiller sur vous et de protéger votre dot.

– Puis-je connaître le nom de celui que vous me destinez, altesse ? demande la jeune fille d'une voix altérée.

– Le plus digne, dit joyeusement le prince : sire Guy de Gisborne.

Le visage du baron s'épanouit tandis que Marianne devient pâle comme une morte.

– Je suis sensible à l'honneur que vous me faites, monseigneur, s'écrie Gisborne.

– C'est impossible ! balbutie la jeune fille.

Le prince, étonné par sa réaction, fronce les sourcils :

– Plaît-il ?

– Je disais que ce mariage n'était pas souhaitable, dit Marianne d'un ton plus assuré. Je suis filleule du roi. Seul Richard peut choisir mon époux et bénir mon union.

Le prince balaie l'argument d'un geste dédaigneux :

– En l'absence de mon frère, jusqu'à preuve du contraire, je gouverne le royaume et décide de ce qui est bon pour lui et pour ses sujets. Donc, ce mariage se fera, et le plus tôt possible, parce que je l'ai décidé.

Marianne regarde le prince. Elle n'a plus peur de lui, à présent, et elle le juge. Il pourrait être beau sans sa bouche molle qui dénonce sa faiblesse.

– Adressez au moins une lettre à Richard pour obtenir son accord, insiste-t-elle.

Jean sourit d'un air faux :

– Mon frère a actuellement d'autres chats à fouetter que le mariage de sa filleule, croyez-moi.

Cette saillie provoque le rire de la plupart des seigneurs. Satisfait, Jean s'adresse à Gisborne :

– Baron, veillez à ce que le mariage ait lieu la semaine prochaine.

– Je suis aux ordres de votre altesse, dit Gisborne en regardant Marianne avec un air de triomphe.

– L'archevêque ?

Gisborne incline la tête :

– Monseigneur de Salisbury est prévenu.

« Ils avaient tout préparé sans mon assentiment ! s'indigne Marianne. Le piège que je redoutais se referme sur moi. »

La pensée de s'unir au baron la remplit de répulsion. Sentant monter ses larmes, elle s'incline devant le prince :

— Permettez-moi de me retirer, altesse.

— Permission accordée ! dit le prince avec bonne humeur. Je dois moi-même poursuivre mon voyage, mais je serai là le jour de vos épousailles, je vous le promets. Et vous me remercierez un jour d'avoir fait de vous la plus enviée des femmes, n'en doutez pas.

« Et la plus malheureuse », songe Marianne en regagnant sa chambre.

La porte refermée, elle se laisse tomber sur son lit, le cœur brisé, et éclate en sanglots. Léonore la regarde avec consternation :

— Qu'y a-t-il, milady ?

Marianne s'essuie les yeux :

— Il y a que je suis prisonnière et que je dois m'enfuir dès demain.

Sa fille d'honneur joint les mains :

— Vous enfuir ? Mais où cela ?

— À Londres, chez la reine Aliénor. Elle seule pourra me protéger de ces conspirateurs. Tu vas m'aider. Trouve des hommes sûrs pour m'escorter. Ce chevalier…

— Robert ?

— Robert de Lanval, oui. Tu me réponds de lui ?

Léonore répond avec chaleur :

— Il est jeune, mais courageux et fidèle. Il fera tout ce que je lui demande.

— Alors, demande-lui de recruter deux autres gentils-hommes aussi braves que lui, et sans poser de question. Nul ne doit savoir que je vais désobéir au prince. Dis-leur seulement que je suis chargée d'une mission secrète et dangereuse.

— Voilà qui va plaire au chevalier de Lanval ! s'exclame Léonore en riant.

Chapitre 16
La flèche noire

Petit Jean désigne le vieux paysan aux allures de pirate avec son bandeau sur l'œil droit et son long couteau passé dans sa ceinture :

– C'est lui qui a découvert le corps d'Orderic, près de Colston. Il l'a ramené sur sa charrette.

– Quand est-ce arrivé ? demande Robin.

Le vieil homme ôte son bonnet et se gratte le crâne :

– Je ne sais point, je l'ai trouvé vers midi, près des terres de Beauvery. Il s'est battu furieusement : il y avait trois cadavres autour de lui, des soldats. Ceux qui ont fait ça n'ont pas pris la peine de les enterrer…

Bavard, il se met à décrire les violences dont il a été témoin. Robin ne l'écoute plus. Terrassé par le désespoir, il s'agenouille auprès de son écuyer. Orderic a combattu avec lui pendant des années. Il l'a servi, protégé avec une fidélité et un courage sans faille. Il a vaincu les Infidèles, les Français, les pillards, pour terminer sa vie en Angleterre, victime d'une flèche dans le dos.

– Une flèche noire, précise le paysan. Je l'ai arrachée, je n'en avais jamais vu de pareille. Elle est dans ma charrette.

Robin examine le trait fait de bois noir et de métal brillant. Il interroge ses compagnons :

– D'où vient-elle ?

Ils restent muets. Will hésite :

– D'Écosse, il me semble.

Robin hausse les épaules :

– Pourquoi les Écossais en voudraient-ils à un cavalier qui n'avait pour toutes richesses que ses armes et son cheval ? Non, ceux qui l'ont assassiné savaient ce qu'il transportait. Et c'est pour le lui prendre qu'ils l'ont attaqué.

– La lettre a disparu, confirme Petit Jean.

Robin serre l'épaule du paysan :

– Merci de l'avoir ramené. Mais comment savais-tu qui il était ?

– J'ai demandé à ceux de Midhurst, dit l'homme d'un air finaud. Ils m'ont conseillé de venir à Sherwood.

– Et tu as fait tout ce chemin ?

– Pour toi, oui, Robin.

– Eh bien, pour moi tu vas me conduire là-bas.

– Là-bas ?

– Là où tu l'as trouvé.

Le vieil homme prend une mine déconfite :

– C'est que je dois transporter mon foin.

– Il attendra.

– Lui, oui, mais mes bêtes…

Robin détache sa bourse et la lui remet :

– Voilà pour tes bêtes et ta charrette. Maintenant, à cheval !

Le visage du paysan s'illumine en soupesant la bourse :

– Oui, messire.

– Les tueurs doivent être loin, à présent, fait remarquer Wilfred.

– Les survivants, précise Petit Jean.

– Je veux le nom de celui qui l'a frappé dans le dos, dit Robin en se hissant en selle.

Ses compagnons l'imitent. Jonas prend le paysan en croupe. Ils atteignent l'endroit après une demi-heure de chevauchée.

– C'est là, signale le borgne en se laissant glisser à terre.

Je reconnais cet arbre roux et ce calvaire. J'en suis sûr, mais… les corps…

– Leurs complices les ont enlevés, dit Robin.

Il s'adresse à Gervais, qui fouille déjà les champs environnants :

– Tu peux suivre leurs traces ?

– Sans problème, répond le limier.

– Cela n'explique pas pourquoi les tueurs étaient au courant de la mission d'Orderic, dit Simon.

– Le messager de Gisborne n'était peut-être pas seul. Un autre l'aura vu.

Wilfred secoue la tête d'un air sceptique :

– Il nous aurait suivis dans la forêt ?

– Pas forcément, dit Robin. Allons questionner le messager, qui n'est peut-être pas aussi stupide qu'il veut nous le faire croire.

Tandis que Gervais suit les traces des tueurs, les *outlaws* regagnent leur camp. Le messager est emprisonné dans une cage de bois hissée au sommet d'un chêne.

– Descendez-le, ordonne Petit Jean.

Jonas détache la corde et il la fait glisser entre ses doigts jusqu'à ce que la cage touche le sol.

– Vous allez me libérer ? demande le prisonnier avec espoir.

– Peut-être, répond frère Tuck. Mais auparavant tu vas répondre à mes questions.

– Je vous ai dit tout ce que je savais, mon père, bafouille l'homme.

– Pour commencer, je ne suis pas ton père, le réprimande frère Tuck. Ensuite, sache que je peux être ton ami ou ton bourreau, tout dépend de toi. Notre messager est tombé dans une embuscade. Qui a pu prévenir ton maître de sa mission ?

– Ce n'est pas moi ! s'écrie le prisonnier avec une véhémence qui déchaîne les rires des bandits. Je vous le jure !

– Ne jure pas et dis-moi la vérité.

– C'est vrai, sur ma vie.

– Sur ta vie, le mot est juste, dit le moine avec un sourire féroce.

Il lui montre la flèche noire :

– À qui appartient-elle ?

– Ça, je puis vous le dire : on l'appelle Arthur le Gallois. Ce sont ses armes : il les trempe dans l'encre pour qu'on les reconnaisse. Il a gagné la Flèche d'or, à Birmingham.

– Où peut-on le trouver, ce champion ?

– À Lincoln, mon père… Je veux dire : messire.

– Pour qui exerce-t-il son métier d'assassin ?

– Je l'ignore.

– Dommage, soupire frère Tuck. Si tu m'avais répondu, tu serais libre. Au lieu de cela, tu vas regagner ton perchoir, et, si tu as menti, je te promets que tu t'en repentiras.

– J'ai dit vrai ! coasse le prisonnier.

– Hissez-moi cet oiseau, ordonne Petit Jean en enfournant l'homme dans sa cage.

Il se frotte les mains :

– Il est temps de rendre visite à ce maudit Gallois.

– Pas tout de suite, dit Robin. Gervais a dû repérer sa trace. Ce qui m'intéresse, c'est le nom de celui qui commande.

– Et de celui qui nous a trahis, ajoute le géant.

À cet instant, les cors des guetteurs retentissent. Un cavalier approche. Bientôt il surgit, entouré d'un groupe de rebelles.

— Vous ? s'étonne Robin en reconnaissant Wallingford. Quel vent vous amène ?

— Une nouvelle rançon ? plaisante Wilfred.

— Il vient s'enrôler, ricane Jonas.

D'un regard, Robin fait taire ses hommes.

— Messire, dit Wallingford, je suis venu vous avertir que Lady Marianne est en danger.

— En danger ? Pourquoi faire appel à moi ?

— Vous l'avez aidée, m'a-t-on dit.

— Vous pourriez le faire tout aussi bien.

— Pas en la circonstance, explique le baron. Le prince Jean veut marier Lady Marianne à sire Guy de Gisborne.

— Le danger est vraiment terrifiant, ironise Petit Jean avec une grimace qui déchaîne une tempête de rires.

Seul Robin garde son sérieux.

— Qu'attendez-vous de moi au juste ? demande-t-il.

— Lady Marianne ne veut de cette union à aucun prix. Comme le prince est déterminé à la contraindre, elle s'est enfuie à Londres. Gisborne a lancé ses hommes à sa poursuite.

Robin hausse les épaules :

— Elle est filleule du roi, n'est-ce pas ? Nul ne peut porter la main sur elle.

Wallingford baisse la tête comme si son aveu lui coûtait :

— En l'absence de Richard, Jean commande. Ses vassaux lui obéissent.

— Vous aussi ?

– J'ai protesté, dit-il d'une voix sourde. La contrainte qu'on exerce sur Marianne me déplaît. Mais je ne peux pas trahir mon prince.

– C'est ce que vous faites, pourtant.

– J'ai eu tort de venir ?

– Vous avez bien fait. Où est-elle ?

– Sur la route de Londres.

– C'est bien vague.

– Ceux qui la poursuivent ont parlé de Bedford et de Westmill.

– C'est mieux, dit Robin.

Il s'adresse à Petit Jean :

– Rassemble les hommes.

– Tu vas voler au secours de cette Normande ? grogne le géant.

– Tu as bien compris : elle est la filleule du roi !

– Une ravissante filleule.

– Et Orderic, tu l'oublies ? lance frère Tuck d'un ton de reproche.

– Je n'oublie rien ! réplique Robin avec sévérité. Je serai là pour les funérailles. Préviens le curé, et envoie un message à Gervais.

Obéissant à leur chef, les *outlaws* sont déjà en selle. Avant de donner le signal du départ, Robin s'adresse à Wallingford :

– Venez-vous ?

Le baron secoue la tête :

– Ma mission est finie.

– La mienne commence, réplique Robin en talonnant Wild.

Chapitre 17
La poursuite

Léonore regarde sa maîtresse avec une sollicitude inquiète :

– Vous êtes fatiguée, milady.

Marianne réplique par un sourire :

– Toi aussi, ma douce.

Robert de Lanval pointe le doigt vers le sud :

– Il y a un village, à une lieue, Corby, je crois. On l'aperçoit : cette tache brune… Nous pourrions faire halte.

Marianne rajuste le voile qui masque son visage et étouffe sa voix :

– Impossible ! On a dû découvrir ma fuite, lancer des cavaliers à nos trousses. Si Gisborne me rattrape, je suis perdue.

– Nous fuyons depuis six heures, milady, proteste le jeune chevalier. Nos chevaux sont fourbus, ils ont besoin de repos, il faudrait les remplacer. Quant à nous, nous devrions gagner l'abbaye d'Arbor pour y trouver asile, c'est la prudence.

– Vous avez peur, messire ?

– Pour vous, oui, milady.

– Alors, aidez-moi à gagner Londres au plus vite. Une fois chez la reine, je ne craindrai plus rien, et vos mérites seront récompensés.

Lanval secoue la tête en rougissant :

– Je ne veux rien, sauf votre salut. Mais il reste encore plus de trente lieues d'ici à Londres. Nos montures ne tiendront jamais jusque-là.

– Nous en changerons le moment venu, réplique Marianne avec impatience.

Léonore tance leur guide :

– Eh bien, qu'attendez-vous, Robert ? Galopez au lieu de parler.

Le chevalier lui lance un regard de reproche :

– Je n'agis que pour votre bien, vous le savez. Je vais pousser jusqu'au village pour trouver des chevaux et des vivres.

Il prend un ton de commandement pour s'adresser aux deux jeunes cavaliers qui les accompagnent :

– Pierre, Arnaud, veillez sur les damoiselles. Vous m'attendrez sur cette colline. Soyez vigilants, et avertissez-moi à la moindre alerte.

Marianne ouvre un petit sac de cuir attaché à sa selle. Elle en sort une bourse et la tend à Lanval. Prévenant son geste de refus, elle précise :

– Pour les chevaux. Je vous sais gré de votre dévouement.

– Et moi, de votre confiance, milady.

« Courtois, pense-t-elle en le regardant s'éloigner au galop. Courtois et amoureux », ajoute-t-elle devant le regard ému de Léonore.

Les deux jeunes filles suivent Pierre et Arnaud sur l'éminence indiquée par Lanval. Celle-ci domine un paysage formé de prairies et d'une double rangée de saules masquant une rivière aux reflets argentés. On entend les cloches d'un troupeau invisible, et le bruissement du vent dans les arbres. Après avoir mis pied à terre, les voyageurs s'asseyent à l'ombre d'un orme.

Le temps passe. L'endroit est paisible et rassurant. Adossée au tronc, Marianne ferme les yeux et s'assoupit. La voix de Léonore la tire de sa rêverie :

– Voici Robert !

– Ce n'est pas lui, ne vous montrez pas ! recommande Pierre.

Un cavalier s'avance lentement sur le chemin de Corby. Il observe les environs.

– Je le reconnais ! s'exclame Arnaud. C'est Turold, il sert à Maubray.

Au nom de Maubray, Marianne tressaille :

– Mais alors…

– Un éclaireur, sans doute, dit Pierre en dégainant son épée.

– Pas de violence ! lui ordonne Marianne.

– Si l'on ne le neutralise pas, il risque de prévenir les autres. Sa présence n'est pas due au hasard, milady. Vos ennemis vous cherchent. Ils ont dû envoyer des hommes dans toutes les directions.

– Que fait Robert ? s'impatiente Léonore.

– Il a peut-être aperçu Turold, suggère Arnaud.

Pierre pousse doucement Léonore derrière l'arbre :

– Si nous n'attaquons pas, restons cachés.

Dans l'ombre, ils surveillent le cavalier. Celui-ci semble hésiter, puis il se dirige vers l'ouest, et disparaît. Les fugitifs respirent.

– Nous devrions rejoindre Robert, dit Léonore.

Arnaud fait un signe de dénégation :

– Il nous a demandé de l'attendre. Inutile de nous faire repérer.

Au même instant, un groupe de cavaliers sort d'un petit bois et s'élance au galop vers la colline.

– En selle, vite ! ordonne Pierre.

Ils détachent leurs chevaux quand une deuxième troupe passe la rivière. Une troisième, plus nombreuse, vient du sud. Ses cavaliers se disposent en éventail.

– Nous sommes repérés ! s'écrie Arnaud.

Il désigne l'est :

– Fuyez, j'essaierai de les retenir.

– Surtout, pas de sang, recommande Marianne.

– C'est inutile, dit Arnaud. Ils sont trop nombreux.

Les trois groupes se réunissent pour les encercler. Marianne reconnaît celui qui les commande : Louis de Setton. De tous les vassaux de Gisborne, il est le plus humain.

– Milady, dit-il en la saluant, j'ai ordre de vous ramener à Maubray.

– Pourquoi ne pas m'escorter plutôt à Londres ?

– Le prince vous attend.

– La reine Aliénor aussi.

– J'obéis à Jean, milady.

– C'est grand dommage pour vous, messire, réplique Marianne. Le roi n'appréciera pas ce déploiement guerrier à l'encontre de sa filleule.

– Mes hommes sont là pour vous protéger, milady. Ils sont la preuve que mon cousin est passionnément épris de vous.

– De mes biens, vous voulez dire, réplique la jeune fille avec mépris.

En prononçant ces mots, elle aperçoit Robert de Lanval. Le jeune chevalier, les mains liées à sa selle, semble prostré. Ses cheveux et son front sont couverts de sang, preuves de sa résistance.

– C'est aussi pour me protéger que vous vous attaquez à mes fidèles ! s'indigne-t-elle.

Louis de Setton donne des ordres. Ses hommes libèrent Robert. Pierre et Arnaud, désarmés, le rejoignent.

– Laissez-les partir ! commande Marianne.

Robert de Lanval secoue la tête avec obstination :

– Nous restons avec vous, milady.

– C'est la sagesse, approuve le cousin de Gisborne.

« Ils pourraient alerter Aliénor », pense Marianne. En croisant le regard de Setton, elle comprend qu'il a fait le même calcul et qu'il n'est pas disposé à prendre ce risque. Les cinq fugitifs, étroitement encadrés, reprennent la route du nord.

Marianne essaie de se montrer courageuse, mais la perspective d'être bientôt à la merci de Gisborne la révolte. « Plutôt la mort que d'appartenir à ce tyran ! » songe-t-elle avec désespoir.

Cependant, Louis de Setton multiplie les attentions pour tenter d'atténuer sa douleur. Il s'arrête dans une auberge, lui fait servir des mets délicats auxquels elle ne touche pas. Il lui ménage des repos. À chaque étape, la jeune fille essaie d'imaginer des moyens d'échapper à ses gardiens. Elle est comme un oiseau en cage. La cage est grande, mais ses barreaux sont serrés et le ciel inaccessible.

– Plus qu'une lieue ! annonce Setton.

Marianne se mord les lèvres à la pensée que sa vie va devenir un enfer. Elle n'a plus d'espoir. Seul un miracle pourrait la sauver, et, soudain, celui-ci se produit : elle perçoit un flottement au sein de la troupe. L'homme qui chevauche en tête lance un cri d'alarme. Sur la crête, devant eux, une ligne de cavaliers vient d'apparaître. La jeune fille reconnaît avec un tressaillement de joie les casaques vertes de Sherwood.

– Maudits rebelles ! enrage Louis de Setton.

Il range ses cavaliers en ordre de bataille avec l'intention de forcer le passage quand d'autres cavaliers apparaissent de tous les côtés à la fois. Bientôt, une centaine d'hommes solidement armés encerclent les hommes de Gisborne.

Un homme se détache de cette armée.

– Robin des Bois !

Le nom redoutable se propage dans les rangs des soldats.

– Faites place ! lui ordonne Setton en se portant à sa rencontre.

– Volontiers, dit Robin. Quand vous m'aurez confié Lady Marianne Fitzwalter, que vous retenez prisonnière.

– Lady Marianne est l'invitée du prince Jean et elle est sous ma sauvegarde, réplique Setton. Je la défendrai contre quiconque, surtout un pillard et un assassin.

– C'est tout à votre honneur, messire, ironise Robin. Mais je crains que vous ne soyez guère en situation de faire valoir vos droits ni de résister. Aussi, je vous propose un marché : sollicitons l'avis de Lady Marianne. Si elle veut rester en votre compagnie, je m'effacerai aussitôt devant vous avec mon armée. Dans le cas contraire, si elle préfère suivre un dangereux bandit, vous la laisserez libre. Qu'en pensez-vous ?

Setton hésite. Mais, avant qu'il ait pu se prononcer,

Marianne fait avancer son cheval et déclare d'une voix forte :

— Cela me convient.

— Soit, dit Robin. Milady, je suis à vos ordres.

— Je rejoins messire de Locksley avec mes gens, décide-t-elle.

— Je refuse !

Louis veut saisir les rênes de la jeune fille, mais il ne peut accomplir son geste : une flèche vole et lui traverse le poignet. Le tir a été si soudain que nul n'a vu Robin bander son arc. Louis presse son membre blessé avec un gémissement de douleur. Deux de ses hommes qui tentent de résister subissent le même sort. Le cercle des *outlaws* se resserre.

— Jetez vos armes ! ordonne Robin.

Les soldats de Gisborne obéissent l'un après l'autre. Épées et poignards tombent sur le sol.

— Milady, vous êtes libre, annonce Robin en s'inclinant, la main sur le cœur.

Chapitre 18

L'aveu

Marianne a les joues rouges après la chevauchée qui l'a conduite jusqu'aux abords de Sherwood. Loin de l'enlaidir, cette fraîcheur la rend encore plus ravissante.

Pendant le trajet, Robin a galopé en tête. La jeune fille peut enfin le rejoindre et lui dire les mots qui lui brûlent les lèvres depuis près d'une heure :

– Je vous remercie de votre intervention, messire. Sans vous, j'aurais perdu tout ce qui m'est cher, à commencer par le bonheur de vivre. Mais… est-ce le hasard ?

Robin sourit :

– Je le voudrais. En réalité, j'étais au courant de votre infortune : Onfroy de Wallingford est venu me prévenir.

– Il y a donc des hommes généreux parmi ces ambitieux, soupire la jeune fille.

– Il y en a même parmi les bandits, réplique Robin.

Marianne réprime un sourire :

– C'est ce que j'ai pu constater. Qu'allez-vous faire de moi, à présent ?

– Vous êtes libre, milady.

– Libre, mais pour combien de temps ? Le prince va remuer ciel et terre pour me reprendre. Aucun seigneur du comté n'osera me donner asile par crainte de lui déplaire. Il faut que je gagne Londres le plus tôt possible. Chez la reine Aliénor, je serai en sécurité.

– Je vous escorterai, milady, mais dans quelques jours, car j'ai auparavant un devoir à remplir, et il ne souffre aucun retard.

– Ne pouvez-vous le différer ?

Robin secoue la tête d'un air sombre :

– Mon fidèle écuyer a été lâchement assassiné. Je dois

lui rendre les derniers honneurs et faire justice. J'ai retardé son enterrement pour vous délivrer. À présent, je dois penser à lui.

Marianne prend la main de Robin et la serre entre les siennes dans un élan de reconnaissance :

– Sachez, messire, que je suis très touchée de cette marque de dévouement. Puis-je savoir ce qui vous a poussé à me venir en aide malgré les propos désagréables que je vous ai tenus lorsque je vous prenais pour un simple brigand ?

Robin admire la jeune fille. Sous sa robe de drap austère et son voile qui lui donnent l'allure d'une bourgeoise et sont censés ne pas éveiller l'attention, elle est si belle qu'il se trouble.

– Je dois beaucoup à votre parrain, le roi Richard.

La moue de Marianne trahit son incrédulité :

– C'est tout ?

– N'est-ce pas suffisant pour secourir sa filleule ?

– Si, en effet, dit-elle avec une conviction forcée.

– Il y a aussi autre chose…

Les yeux de la jeune fille guettent les siens :

– Autre chose, dites-vous ?

– La première fois que je vous ai vue…

– Vous vous êtes moqué de moi.

– Vraiment ?

– En me faisant croire que vous me conduisiez au fond de votre repaire.

– Celui-ci aurait été plus sûr que le château de Gisborne.

Elle fait la moue :

– Mais moins confortable.

Robin fronce les sourcils :

– À présent, c'est vous qui raillez.

– Pardonnez-moi, s'empresse de dire Marianne. Je suis si heureuse d'avoir échappé à ce mariage odieux que j'ai envie de rire. Et, tenez, je ne suis pas la seule.

Elle désigne Léonore penchée sur Robert de Lanval. La suivante soigne la blessure du chevalier, et elle rit de bon cœur en lui entourant le front d'une bande de toile blanche qui lui donne l'air d'un Bédouin.

– Donc, poursuit Marianne avec un soupir faussement résigné, nous allons dormir dans une hutte de charbonnier !

– Il y en a de très confortables.

– Je n'en doute pas.

– La nuit va tomber. Je vais vous conduire à votre cabane.

Après une courte halte, les cavaliers se remettent en selle. Ils longent la lisière de Sherwood et prennent la route du nord. Au sommet des arbres, tous les cinq cents mètres, des guetteurs poussent leurs cris de reconnaissance pour saluer leurs compagnons. Robin pense à haute voix :

– Jamais Richard Cœur de Lion n'aurait permis à l'une des plus riches héritières d'Angleterre d'épouser l'un de ses ennemis.

– Certes, non, dit Marianne.

– Il aurait choisi un allié, un prince du sang.

– Pourquoi pas un roi ? ironise Marianne.

Robin acquiesce avec gravité :

– Pourquoi pas ? Votre beauté vaut mieux que tous les quartiers de noblesse des grandes dynasties.

Marianne réprime un sourire moqueur :

– Vous êtes galant, messire. Mais, à force de bavarder, il me semble que nous nous éloignons de la forêt.

– Vous faites bien de me le dire : je ne l'avais pas remarqué. Saviez-vous que Jean complotait avec Philippe, le roi de France, pour que Richard reste en prison ?

Il lui fait le récit de la lettre interceptée et de la mort d'Orderic, porteur du message destiné à la reine.

– C'est infâme ! s'exclame Marianne, révoltée. Aliénor doit être informée de la trahison de son fils.

– Elle le sera, milady, et nous l'aiderons à payer la rançon du roi.

– Vous ? Et de quelle manière ?

– Tout ce que nous avons prélevé sur les barons et les dignitaires de l'Église est destiné au roi.

– Tout ?

– Jusqu'au moindre shilling.

Marianne dévisage le jeune chevalier avec étonnement, mais elle comprend vite qu'il dit la vérité.

– Vous avez le don de me surprendre, messire, murmure-t-elle.

Robin hoche la tête :

– Je me donne un mal fou pour cela… Nous arrivons.

Marianne découvre un manoir élégant, dissimulé sous des arbres majestueux.

– Je vous aurais volontiers accueillie à Locksley, ajoute Robin. Mais le sheriff a brûlé ma demeure. Celle de mes cousins Dunford vous conviendra.

Marianne dissimule un sourire :

– C'est là ma cabane, je présume ?

– Votre hutte, oui. Vous verrez, Aymeric est un charmant compagnon, et son père est un grand seigneur. Ils veilleront sur vous.

– Aussi bien que vous, Robin ?

– Mieux, sans doute. Voici Aymeric. On le surnomme Orphée. Vous comprendrez pourquoi. Je vais vous quitter…

– Déjà ?

La déception de la jeune fille est sincère.

– Je dois découvrir le propriétaire d'une certaine flèche noire, explique-t-il sur un ton d'excuse. Puis défier celui qui a armé sa main.

– Qui est-il ? demande Marianne.

– Celui que vous n'avez pas voulu épouser.

– Gisborne ? Prenez garde, messire, s'alarme-t-elle. Il passe pour invincible à l'épée.

Robin sourit avec une sombre ironie :

– Je l'espère, sinon, quel serait mon mérite ?

Il tend les bras, saisit la taille de Marianne, l'enlève de sa selle et la dépose sur le sol avec douceur. Par crainte de rompre le charme, Aymeric freine son élan et attend à l'écart discrètement.

– Je voulais vous dire…, murmure Robin.

– Quoi donc ? s'impatiente la jeune fille.

Elle s'avise qu'il la tient toujours à la taille, mais ne fait rien pour se libérer. Il détourne la tête et avoue, si bas qu'elle l'entend à peine :

– Je vous aime.

Comme elle reste muette, il supplie :

– Ne vous moquez pas de moi, Marianne. Cet aveu a exigé de moi plus de courage que de m'élancer à l'assaut de Jaffa.

Elle pince les lèvres :

– Un combat difficile ?

– Désespéré : nous luttions à un contre cinquante.

– Et vous avez remporté la bataille ?

– Oui, milady. Saladin s'est enfui.

– Je le comprends : comment ne pas céder à une telle vaillance ?

– Vous raillez, ce n'est pas charitable.

– Je vous taquine, c'est vrai, mais vous devez me pardonner.

– Pourquoi ?

– Parce que je vous aime aussi.

Robin, ébloui, va resserrer son étreinte lorsque Aymeric s'approche, tout joyeux :

– Quel bonheur de te revoir, Robin, et en si ravissante compagnie.

– Je te confie Milady Marianne Fitzwalter, dit Robin.

– La filleule du roi Richard ! s'exclame Aymeric.

– Et la fiancée de Robin de Locksley, ajoute Marianne.

Elle éclate aussitôt de rire devant les mines stupéfaites des deux jeunes chevaliers.

Chapitre 19
Le duel

— Monseigneur, le chef des rebelles…, annonce le capitaine.

Guy de Gisborne lève les yeux des parchemins qu'il est en train d'examiner :

— Eh bien, quoi, le chef des rebelles ?

— Il est ici, monseigneur.

Le baron se dresse si brutalement que son fauteuil bascule en arrière :

— Il ose ? La garde, vite ! Préviens les hommes !

— Ils sont prêts, monseigneur.

— Mon épée !

Les serviteurs s'empressent d'obéir. Escorté de Louis de Setton, sa main droite bandée, de Roger de Mortemer et d'Onfroy de Wallingford, et entouré de dix sergents d'armes, le baron se rend à la porte du manoir. Robin est là, avec deux compagnons seulement. À leurs pieds se tient un homme garrotté et agenouillé.

— Locksley, dit Gisborne, tu as beau être un meurtrier et un pillard, je dois reconnaître que tu ne manques pas d'audace. Sais-tu que mes archers n'attendent qu'un mot de moi pour te clouer sur les portes de mes écuries ?

Robin acquiesce :

— Les miens sont là, eux aussi.

Il désigne l'ouest. Un cor résonne. Une trentaine d'archers surgissent aussitôt d'un rideau d'arbres.

— Que veux-tu ?

D'un coup de botte, Robin pousse son prisonnier agenouillé :

— Vous rendre cet animal.

Gisborne hausse les épaules d'un air dédaigneux :

— Je ne le connais pas.

— Allons, monseigneur, un peu de mémoire ! Lui vous connaît. Vous lui avez appris à trahir et à tuer. Il faut dire que, dans ce domaine, vous êtes un bon maître.

Gisborne pâlit sous l'insulte.

— Misérable, grince-t-il. Savoure tes derniers moments d'insolence. Tu te balanceras très bientôt au bout d'une corde.

— Vous aussi, monseigneur, vous finirez au gibet quand le roi reviendra. Mais j'ai mieux à vous offrir que cette fin sordide.

— M'offrir ! dit Gisborne, méprisant.

— Un duel.

— Tu veux te battre avec moi ? Comme si j'allais t'accorder cet honneur, à toi, un brigand ?

— Ma lignée est aussi ancienne que la vôtre, monseigneur, et je consens à croiser le fer avec vous, en effet. On vous dit invincible à l'épée, mais peut-être n'est-ce qu'une légende.

Gisborne prend ses compagnons à témoin :

— Il consent !

Mortemer et Setton éclatent de rire. Robin pousse un soupir résigné :

— J'ai peur que vous n'ayez guère le choix, messire.

Il lève le bras. Au signal, des archers en casaques vertes surgissent, si nombreux qu'on dirait que la forêt tout entière s'anime.

— D'où sort cette armée ? murmure Mortemer avec consternation.

Les bandits s'avancent. Au passage, ils enflamment des

meules de paille. Vingt feux s'élèvent autour de la demeure. Le vent rabat la fumée sur Gisborne et ses hommes.

— Soit tu relèves mon défi, soit j'ordonne à mes hommes de brûler ton château comme les tiens ont incendié la demeure de mes ancêtres. Réfléchis vite : si tu résistes, tu enverras tes fidèles à la mort et tu perdras tous tes biens. Un duel réglera tout : si tu l'emportes, mes hommes s'en iront. Tu as ma parole.

— La parole d'un rebelle !

— Celle d'un fidèle sujet du roi Richard.

Pendant cet échange, les *outlaws* se sont encore rapprochés. Gisborne n'a pas besoin de les compter pour savoir qu'ils sont quatre fois plus nombreux que ses propres soldats.

— Qu'as-tu fait de Lady Marianne ? demande-t-il soudain.

— Elle est en sécurité.

— Chez ce vieux mâtin de Dunford, dit Gisborne avec un mauvais sourire.

Une ombre d'inquiétude passe dans le regard de Robin. Gisborne la remarque et triomphe :

— Crois-tu vraiment que je laisserais une des plus nobles dames d'Angleterre entre les mains d'un brigand ? Tes cousins paieront cher leur complicité dans cet enlèvement.

Robin marche sur le baron qui l'attend de pied ferme.

— Je constate que tu n'es pas disposé à te battre, dit-il avec une douceur menaçante. Ceci te décidera peut-être.

Sa main s'abat avec violence sur la joue du baron, qui chancelle et met la main à l'épée. L'un de ses sergents se précipite sur Robin, une hache à la main, pour venger l'affront. Deux flèches l'arrêtent en plein élan. Il s'écroule sans un cri. Les autres reculent prudemment.

– Soit, dit Gisborne d'une voix déformée par la haine. Nous nous battrons. Mais à ma convenance, puisque je suis l'offensé.

Robin s'incline avec courtoisie :

– C'est juste.

Les adversaires gagnent un cercle de terre battue jonché de paille, qui doit servir d'aire de battage. Les soldats des deux camps se rejoignent et font un cercle pour regarder le duel.

– Quelle que soit l'issue du combat, tu perdras, prédit Gisborne.

Robin hausse les épaules :

– Dieu décidera.

– Le prince Jean a déjà décidé. Au moment où je te parle, Lady Fitzwalter est sous sa sauvegarde, ton camp est détruit et tes cousins sont en prison. Quant à toi, tu es tombé dans le piège que tu as cru me tendre. Et maintenant, en garde ! Une chose encore : interdiction de sortir du cercle sous peine de défaite !

L'épée à la main, Gisborne devient aussitôt un autre personnage. Le baron raide et cérémonieux se métamorphose en guerrier souple, élégant et doté d'une vivacité hors du commun.

Sa première attaque est si foudroyante qu'elle surprend Robin. Un réflexe lui sauve la vie. Cependant la lame du baron lui érafle le flanc gauche. Les soldats de Maubray saluent l'exploit et encouragent leur maître. Les *outlaws*, eux, restent muets.

Harcelé sans répit, leur chef est obligé de rompre. Il s'approche de la bordure du cercle.

– Défense de passer la limite ! commande le baron.

D'une parade désespérée, Robin arrête un coup d'estoc qui lui aurait percé la poitrine. Puis, peu à peu, il reprend la maîtrise du combat. Les forces s'équilibrent. Si Gisborne possède plus de science, Robin a plus de force et d'endurance. Il s'est contenté de parer les assauts furieux de son rival. À présent, il attaque à son tour. Un coup de taille déséquilibre Gisborne. Piqué, le baron riposte aussitôt. Robin se baisse sous la pointe qui lui effleure le crâne.

Le silence pèse sur le champ clos. L'intensité du duel fascine les guerriers des deux camps.

Gisborne pousse un cri de triomphe. Son épée atteint l'épaule de Robin. Du sang tache la tunique verte du rebelle. Sûr de sa victoire, le baron se fend avec l'intention de donner le coup de grâce à son adversaire. Robin esquive et contre-attaque. Sa lame touche Gisborne au ventre. Le baron regarde avec stupeur le fer enfoncé dans sa chair. Il ne ressent pas encore la douleur, mais une étrange faiblesse le paralyse. Robin retire sa lame et se fend de nouveau, cette fois, en plein cœur. Gisborne s'abat en arrière. Les *rebelles* applaudissent leur héros à grand bruit.

Robin salue son adversaire, essuie sa lame et la remet au fourreau. Puis il s'adresse à Wallingford :

– Messire, vous témoignerez que le duel fut loyal.

Le jeune baron incline la tête :

– Il l'a été.

Déjà, Robin s'éloigne. Il rassemble ses hommes en hâte. Les paroles de Gisborne résonnent encore à ses oreilles : Marianne aux mains du prince, ses cousins enchaînés, Sherwood envahi…

– À Dunford ! ordonne-t-il en s'élançant au galop en direction du nord.

Chapitre 20
Avant la tempête

Lorsque l'armée rebelle atteint Dunford, la nuit commence à tomber. Le manoir est obscur et silencieux.

– Tu crois que Gisborne a dit vrai ? murmure Petit Jean.

Robin ne répond pas, mais l'anxiété lui serre le cœur. Il fait signe à ses hommes d'encercler la demeure et de s'avancer sans bruit. Lui-même se dirige vers la porte, flanqué de Petit Jean et de Wilfred.

Au signal, les hors-la-loi enflamment des torches tandis que Robin et ses deux compagnons bondissent à l'intérieur. À peine entrés, ils sont assaillis par un groupe d'ennemis en armes.

– Robin, attention ! crie Petit Jean.

Ce nom produit un effet magique : leurs agresseurs abaissent leurs épées. Petit Jean, qui venait d'empoigner un adversaire, le libère avec stupéfaction :

– Simon ?

Un peu partout, on bat des briquets, des torches crépitent, des chandelles s'allument. La salle éclairée révèle une soixantaine d'hommes munis d'armements hétéroclites : gardes de Dunford, *outlaws*, chasseurs, serviteurs. Orphée tient une arbalète. Le vieux baron brandit sa grande épée à deux mains.

Simon fait un geste d'excuse :

– Vous arrivez ici comme des voleurs. Comment vouliez-vous qu'on vous reconnaisse ?

– Tout était obscur, dit Robin.

Petit Jean repousse Simon avec irritation :

– Cela ressemblait à un piège.

– Nous attendions une attaque, explique Thomas de Dunford. Le prince Jean nous a envoyé un héraut, nous sommant de lui livrer Lady Marianne sous peine de subir un assaut et de finir au gibet. Un éclaireur avait signalé la cavalerie de Gisborne.

Robin ne peut s'empêcher de sourire devant l'armée de fortune recrutée par le vieux baron.

– J'admire votre courage, dit-il, mais Gisborne ne viendra pas.

– Il a rendu son âme au diable, ajoute Wilfred.

Au même instant, une jeune fille traverse la foule et se jette dans les bras de Robin. Marianne !

– Vous êtes sauf, Robin, Dieu soit loué !

– Vous aussi, j'avais si peur…

– Quand j'ai su que vous alliez affronter ce démon…

– Il ne risque plus de vous faire du mal…

– Je suis si heureuse…

Tout à leur joie, ils se sont exprimés avec passion sans se soucier de leurs compagnons qui les entourent et les entendent. Consciente des regards fixés sur elle, Marianne rougit soudain et attire Robin à l'écart.

– Gisborne n'est plus, murmure-t-elle d'une voix tendue, mais Jean a bien d'autres alliés.

– Moi aussi, j'ai des alliés, réplique Robin : trois cents hommes dévoués. Vous ne risquez rien. Cependant, par prudence, je vous mènerai dès demain chez la reine.

– Doux ami, dit Marianne, j'ai une grande dette envers vous.

Robin la regarde avec émotion. Elle a échangé sa robe de drap contre une cotte de velours écarlate qui met en valeur la blancheur de ses épaules et de ses bras. Ses cheveux, relevés sur la nuque par des peignes d'ivoire, découvrent son visage aux traits d'une finesse exquise. Il sourit :

– C'est moi qui vous suis redevable, milady.

– Pas ce mot, milady. Dites Marianne, dites-le !

– Oui, je vous dois beaucoup, Marianne.

Les lèvres de Robin se posent avec douceur sur celles de la jeune fille. Elle ne le repousse pas. Elle ferme les yeux. Quand Robin se détache d'elle, elle soupire, malicieuse :

– Les brigands sont bien audacieux. Je me demande ce qu'en pensera le roi.

– Qu'il me fasse pendre, je mourrai sans regret.

Marianne a repris son sérieux. Elle regarde avec inquiétude Dunford et ses gens :

– Je me demande ce que deviendront ces nobles cœurs qui sont venus à mon aide. Jean est rancunier et impitoyable.

– Mes hommes veilleront sur eux, et puis le roi va revenir.

Marianne fait la moue :

– Sa rançon est énorme. Il faudra sans doute des mois, des années…

– L'Angleterre est plus prospère qu'il n'y paraît, assure Robin. Le malheur, c'est que toute cette richesse est aux mains des grands seigneurs quand le peuple est misérable, surtout dans nos campagnes. Souhaitons que Richard instaure plus de justice après sa délivrance.

– Richard est un roi couvert de gloire, soupire la jeune fille. Mais il se soucie davantage de faire la guerre que d'instaurer la paix.

D'un geste tendre, Robin redresse une mèche brune

échappée du chignon de Marianne. Il s'étonne de découvrir, chez une fille si jeune, tant de sagesse alliée à tant de beauté.

– Après que je vous aurai conduite à Londres, nous serons séparés, dit-il avec mélancolie.

– Pourquoi ne pas rester chez la reine ?

Robin secoue la tête :

– Ma place est ici, parmi les pauvres gens. Je dois les protéger du sheriff qui voudra se venger, et des seigneurs qui les pressureront encore davantage.

Marianne lui prend la main et la porte à ses lèvres.

– Messire de Locksley, il y a plus de noblesse en vous que chez tous ces gens qui se prétendent les maîtres du royaume, dit-elle avec passion.

Il a une moue sceptique :

– Je sais que je devrai répondre un jour de tous mes forfaits. J'ai bravé la loi au nom de la justice. Le roi lui-même ne pourra pas m'absoudre. Mais je ne regrette rien. Pourtant, bien que je ne redoute pas la mort, j'ai envie de vivre puisque vous m'aimez.

En disant cela, il la serre dans ses bras. Elle pose la joue sur son épaule. Une douceur infinie les envahit en attendant la tempête.

Chapitre 21
Une reine de légende

À mesure que s'avance le moment de rencontrer la reine Aliénor d'Aquitaine, la nervosité de Robin grandit. Cette grande dame, reine de France avant de devenir reine d'Angleterre, passe pour un personnage fier et impérieux. Indomptable, elle s'est révoltée contre la tyrannie de son époux, Henry II, qui l'a emprisonnée durant de nombreuses années dans la tour de Salisbury.

La mort du roi et l'avènement de son fils, Richard Cœur de Lion, l'ont libérée. La légende claire fait de cette femme une héroïne de roman. Sa légende noire la présente comme une reine impitoyable.

Tandis qu'il s'avance sous l'immense charpente en châtaignier du palais de Westminster, parmi la foule des serviteurs et des courtisans, Robin le rebelle sent la main de Marianne sur son bras. Cette douce pression le rassure.

Après une chevauchée de deux jours, ils sont arrivés à Londres la veille, et ont logé à l'auberge de l'Épée d'Argent, près de la Tamise. Robin a laissé là les dix compagnons qui l'ont accompagné.

– La reine !

Le murmure de Marianne le ramène à la réalité. Quelques pas devant eux se dresse une silhouette blanche. À soixante-douze ans, Aliénor est toujours une femme magnifique. Grande, mince, droite. Un fin cercle d'or retient le voile léger qui recouvre ses cheveux blancs. Une ceinture de soie brodée de fils d'or adoucit l'austérité de la robe de laine qui tombe jusqu'à ses pieds.

Penchée sur une table de chêne, au centre de la salle, la reine examine des documents, les commente, lance des ordres d'une voix ferme. Ses gens, des clercs pour la plupart, lui obéissent avec empressement. Trois dignitaires assistent au conseil. De temps en temps, ils risquent une remarque. Aliénor écoute, puis elle tranche.

Elle dicte une lettre à l'un de ses secrétaires. La plume grince sur le parchemin. Tout en parlant, la reine promène son regard sur l'assistance. En apercevant Marianne, son expression s'adoucit. Elle interrompt sa dictée et tend la main. Marianne se précipite. Aliénor la serre dans ses bras.

– Ma chère enfant, dit-elle avec tendresse. Je m'inquiétais pour vous. On a osé vous enlever, m'a-t-on dit ?

– C'est vrai, Votre Grâce. Voici Robin de Locksley, qui m'a secourue et protégée au péril de sa vie.

Aliénor tourne la tête vers le gentilhomme qu'elle lui désigne. Son regard, d'abord bienveillant, se teinte de sévérité. S'adressant à l'un de ses conseillers, elle demande :

– Est-ce le rebelle dont vous m'avez parlé ?

Le dignitaire acquiesce :

– Robin des Bois, oui, ma reine.

– Fidèle serviteur du roi, proteste Marianne.

Repoussant doucement la filleule de son fils, Aliénor fait signe à Robin d'approcher. Celui-ci obéit et met un genou en terre.

– Ainsi, c'est vous, messire, qui rançonnez et malmenez nos sujets ?

– Oui, Votre Grâce.

– On a pendu des hommes pour moins que cela.

– Pour avoir chassé dans les forêts royales, mais vous avez aboli cette loi barbare.

Sous son attitude respectueuse, Robin est hardi, et ce trait de caractère n'est pas pour déplaire à la reine.

— Pourquoi cette rébellion ?

— Pour protéger les intérêts du roi, Votre Grâce.

— En dépouillant ses sujets ?

— Ses ennemis. L'argent que nous avons recueilli est ici. Il est destiné à payer la rançon de Richard Cœur de Lion.

— Vingt mille marcs ! confirme une voix chaleureuse.

Levant les yeux, Robin reconnaît Hubert Gautier, évêque de Salisbury et grand justicier, l'un des personnages les plus puissants du royaume.

Aliénor s'étonne :

— Vous, monseigneur, vous voudriez utiliser le fruit de ses rapines ?

— Pour libérer Richard ? Certes, sans hésiter. Et je n'appelle pas cela du vol, mais de la récupération. Ceux que Locksley a dépouillés rechignaient à verser leur contribution pour la rançon. Les voilà quittes !

— Cependant, c'est encourager le pillage et la révolte !

— Je connais Robin, dit Hubert Gautier. Nous avons combattu ensemble en Palestine. Il a toujours servi Richard avec dévouement.

— Et il m'a sauvé la vie, rappelle Marianne.

Aliénor réprime un sourire :

— Je constate, messire, que vous avez de bons avocats à la Cour.

— J'en ai grand besoin, Votre Grâce, dit Robin, car je suis coupable de tous les crimes dont on m'accuse.

Le grand justicier offre sa main à Robin pour l'inciter à se relever :

— Il n'a pas conservé un shilling pour lui. Son manoir a brûlé. On a pendu ou massacré ceux qui lui étaient chers.

Il a sacrifié tout cela pour servir le roi. Je regrette personnellement qu'il n'y ait pas plus de rebelles de son espèce en Angleterre.

– Vos propos sont bien dangereux, fait remarquer la reine. Eh quoi, encourager l'anarchie serait le meilleur moyen d'aider le royaume ?

– Votre Grâce, intervient Robin. Les pauvres sont de plus en plus nombreux dans ce royaume sans roi. Les grands seigneurs les oppriment. Or, tout humbles qu'ils soient, ce sont eux qui nourrissent ce grand pays en cultivant le sol, qui le construisent et le défendent en servant dans ses armées. Bien des barons et des abbés complotent pour augmenter leur pouvoir au détriment du roi. Le peuple, lui, est fidèle. S'il se révolte, parfois, ce n'est pas contre lui, mais contre ceux qui le méprisent et l'affament. J'ai avec moi des centaines d'hommes qui se feraient tuer jusqu'au dernier pour Richard sans rien demander en échange, à part le droit de vivre honorablement.

Aliénor regarde d'un air songeur le jeune chevalier frémissant de passion.

– Ce discours devrait me déplaire, murmure-t-elle. Toutefois...

Elle sourit :

– Toutefois, nous utiliserons votre butin pour payer la rançon de Richard. Nous en avons grand besoin. Quant à vous, Robin de Locksley, plus jamais de morts. Ai-je votre promesse ?

– Vous l'avez, Votre Grâce.

– Bien, alors je vous remercie doublement : pour nous avoir aidés à libérer Richard, et pour avoir sauvé Marianne

Fitzwalter des griffes de Gisborne. Elle mérite mieux que cet intrigant sans scrupules. Nous saurons lui offrir un parti digne d'elle… Que pensez-vous du jeune Hugues de Leicester, monseigneur ?

Elle s'adresse à Hubert Gautier. Ce dernier acquiesce :

– Le jeune Hugues est noble et fort plaisant. En outre, il héritera de vastes domaines dans l'ouest de la France. Une belle alliance, la Cornouaille et la Normandie, ma reine !

– Nous en reparlerons, dit Aliénor sans prêter attention à la pâleur de Robin.

Le chef des *outlaws* a beau savoir qu'il est de trop humble naissance pour prétendre à la main d'une des plus riches héritières du royaume, son cœur se brise.

Marianne, elle, n'a pas réagi aux propos de la reine, preuve qu'elle accepte le sort qu'on lui promet. L'orgueil de Robin est plus fort que sa passion. Blessé, il songe qu'il n'a plus rien à faire à Westminster. Il s'incline devant la reine.

– Votre Grâce, dit-il d'une voix altérée, j'ai rempli ma mission. Souffrez que je regagne les miens à Sherwood.

– Votre forêt, dit Aliénor avec ironie.

– Je serai avec mes compagnons, prêt à répondre à votre premier appel, quelle que soit l'heure. Mon épée vous appartient.

– Nous vous savons gré de votre fidélité.

Sur ces mots, Aliénor se détourne et revient aux affaires du royaume. Robin reste seul face à Marianne.

– Doux ami, supplie-t-elle, ne m'oubliez pas.

– Je devrais, au contraire, vous effacer de ma mémoire,

milady, murmure-t-il avec amertume. Il n'est pas bon de nourrir des ambitions au-dessus de sa condition.

Le visage de la jeune fille s'attriste :

– Ne parlez pas ainsi, pas vous. Je connais votre vaillance : il n'est rien que vous ne puissiez conquérir avec votre épée et avec votre cœur.

Robin lui prend la main et y imprime ses lèvres :

– Je n'aimerai jamais que vous.

– Dieu vous protège, Robin, murmure-t-elle.

Il s'arrache à elle avec la pensée désespérante qu'elle disparaît de sa vie à tout jamais.

Chapitre 22

Les trois léopards

L'ouragan s'acharne sur la vaste forêt de Sherwood. Le vent déchaîné arrache des feuilles et les emporte dans d'immenses tourbillons aux allures de fantômes. La foudre a abattu un chêne millénaire. Les routes, inondées, sont impraticables. Depuis des mois, le ciel s'acharne sur l'Angleterre. Après le gel est venue la tourmente. On a signalé une meute de loups du côté d'Aspley. Certains y voient le signe de la fin des temps. D'autres attribuent le cataclysme à une malédiction due à la captivité du roi.

L'humeur de Robin est à l'image des éléments furieux. Depuis deux mois, il est sans nouvelles de Marianne. Pas une lettre ni un message. Le silence. L'oubli.

« Peut-être s'est-elle unie à Hugues de Leicester », songe-t-il.

L'irruption de Petit Jean le délivre de ses pensées douloureuses.

– Il faut songer à la nourriture, lui rappelle le géant.

Il a raison : avec les tempêtes qui se succèdent sans répit, le gibier se fait rare et les récoltes sont maigres. Or, ils doivent nourrir de plus en plus de malheureux.

– Il nous faut du lait pour les enfants, dit Wilfred.

– Les vaches de l'abbaye St. Mary ? suggère frère Tuck.

Will gratte son buisson de cheveux roux d'un geste nerveux :

– L'abbaye est devenue une vraie forteresse.

– Abattons ses remparts ! gronde Petit Jean.

– Pas de morts ! recommande Robin.

– Alors, pas de vaches, soupire frère Tuck.

– Si nous achetions le lait et le grain au lieu de les piller ? propose Robin.

– Tu deviens honnête, ma parole ? raille Wilfred.

– Il finira camelot sur le grand marché de Nottingham, prédit Gervais au milieu des rires.

Petit Jean opine :

– C'est depuis qu'il a été reçu chez la reine. L'ennui, Robin, c'est qu'avec la famine, les prix ont augmenté, et que nous ne récoltons plus grand-chose depuis que la tempête et notre réputation éloignent les voyageurs de Sherwood.

Il a à peine fini de parler que des cors retentissent, signalant l'arrivée d'une troupe.

– Les affaires reprennent, constate Will.

Robin affiche un air sceptique :

– C'est peut-être une troupe de pèlerins, de misérables affamés qu'il faudra nourrir.

La pluie a cessé brusquement, et le vent s'est calmé. L'orage s'éloigne vers l'est en attendant la prochaine tempête. Les rebelles sautent aussitôt en selle et gagnent l'orée de la forêt. Ils découvrent là une dizaine de cavaliers surveillés par cinquante archers de Sherwood.

Petit Jean siffle entre ses dents :

– Pas vraiment des pèlerins !

Robin admire la beauté des montures et la richesse des habits qu'on devine sous les longues pèlerines brunes qui dissimulent les voyageurs.

En voyant Robin mettre pied à terre, l'un des étrangers pousse son cheval et l'apostrophe avec colère :

– Tu es le chef de ces bandits ? De quel droit nous empêchez-vous de poursuivre notre chemin ? Est-ce la coutume dans ce pays d'attaquer de paisibles voyageurs ?

Robin s'incline avec respect :

– Il ne s'agit pas d'une attaque, monseigneur, mais d'une invitation. Les routes sont difficiles. Vos chevaux risquent de s'embourber. Vous devez être fatigués. Que diriez-vous de prendre un peu de repos et de partager notre modeste repas ?

– C'est aimable à toi, dit l'étranger, mais nous devons poursuivre notre voyage sans retard.

À cet instant, l'un de ses compagnons, dont le visage est dissimulé sous son capuchon, lui glisse quelques mots. L'homme s'incline à contrecœur :

– Nous acceptons ton offre, mais pour une heure seulement.

Robin acquiesce avec satisfaction :

– Dans une heure, nous vous raccompagnerons. Mes hommes vous indiqueront une meilleure route que celle que vous suivez. Vous ne risquez rien en notre compagnie.

– Je voudrais bien te croire.

– Vous avez ma parole de gentilhomme.

– De gentilhomme, vraiment ? s'esclaffe le cavalier avec un dédain insultant qui incite Robin à porter la main à son épée.

Il se maîtrise, cependant, et fait un geste d'invitation :

– Si vous voulez bien nous suivre.

Il précède les voyageurs. Tous ont mis pied à terre et conduisent leurs chevaux par la bride.

– Ces gens-là vont dévorer nos dernières provisions ! râle Petit Jean.

Robin réprime un sourire :

– Nous voulions de l'argent, n'est-ce pas ? Ces nobles invités vont payer leur repas avec largesse.

– Les grands seigneurs ne sont pas les plus généreux.

– Tout dépend des circonstances, pouffe Gervais.

– Et de notre persuasion, ajoute Robin.

La dernière réplique déchaîne le fou rire des rebelles.

– Puis-je savoir ce qui vous divertit ? demande l'étranger qui a servi de porte-parole à la troupe.

– Le plaisir de vous avoir à notre table, messire.

Le sourire crispé de son invité prouve que celui-ci n'est pas dupe du désintéressement de Robin.

Aussitôt arrivé au camp, le chef des brigands fait dresser des tables à l'abri des rochers, car l'orage menace. Bientôt, le parfum des viandes grillées flatte l'odorat des voyageurs. Celui qui paraît commander le groupe se penche sur les bêtes qu'on découpe :

– Faisans, chevreuil… Vous êtes généreux avec le gibier du roi.

– C'est le roi qui est généreux avec les pauvres gens, réplique Robin. Mais cette générosité a des limites : il y a de plus en plus d'indigents et de moins en moins de gibier.

– Vous l'avez exterminé, dit un voyageur.

Robin secoue la tête :

– Le gel, les tempêtes, les inondations l'ont décimé, comme ils déciment ceux qui n'ont plus de quoi se nourrir. Les hommes partagent le sort des bêtes.

– Votre table est bonne, cependant.

– Profitez-en, monseigneur, car c'est tout ce qui nous reste.

– Et tu nous l'offres ? C'est bien généreux de ta part !

– « Offrir » n'est pas le mot exact.

— Tu veux nous rançonner, brigand ?

— À Dieu ne plaise ! Si c'était le cas, nous vous aurions dépouillés tantôt en vous laissant sur la route le ventre vide.

— Je reconnais bien là votre grandeur d'âme, ironise l'un des invités.

Robin essaie de distinguer le visage que l'homme dissimule sous un capuchon.

— Tous les brigands ne me ressemblent pas, dit-il. Certains sont beaucoup plus féroces, ou plus désespérés.

— Il semble, en tout cas, que votre espèce se multiplie plus vite que le gibier.

— Quand le roi reviendra, notre gent disparaîtra.

— Vous pensez que Richard nettoiera le pays ?

— Certes, il le débarrassera des grands seigneurs qui le trahissent et qui oppriment son peuple.

— Ces propos séditieux pourraient te coûter cher !

— Mille marcs, monseigneur.

— Mille marcs ? Que signifient ces mille marcs ?

— Le prix de ma tête, si le cœur vous en dit…

— On dirait que tu en es fier.

— C'est le cas, car les hommes qui ont fixé le prix sont le sheriff de Nottingham, le prince Jean et Guy de Gisborne, qui n'ont pas la réputation d'être généreux.

— Ils appliquaient la loi, non ?

— En profitant de la captivité du roi pour prendre le pouvoir.

— Il fallait bien que quelqu'un gouverne en son absence.

— Prisonnier ou pas, il n'y a qu'un seul roi en Angleterre ! s'emporte Robin. Si vous n'êtes pas de mon avis, nous pouvons régler cela en combat chevaleresque.

En disant cela, Robin détache son épée et la jette sur la table. Devant ce défi, les voyageurs sursautent, mais ils ne réagissent pas. Seul leur chef se penche sur l'arme et la sort de son fourreau :

– C'est une épée de grande valeur que vous avez là, messire. Je présume qu'elle provient d'un riche butin.

Robin sourit avec dédain :

– Aucun butin n'est assez riche pour offrir une arme semblable.

– À cause de sa relique, sans doute ? murmure l'homme.

– Vous n'y êtes pas : sa valeur provient de celui qui me l'a donnée.

– Votre père ?

– En quelque sorte… mon roi. Et je voudrais qu'il fût là pour la mettre de nouveau à son service et l'aider à punir tous les ennemis du royaume.

– Parfois, les rêves se réalisent, Robin des Bois, dit l'homme en se dressant.

Il détache son manteau et le laisse tomber à terre d'un geste empreint de majesté. Robin découvre sa tunique rouge ornée de trois léopards d'or, et, au-dessus, un beau visage encadré de barbe blonde. Il s'agenouille.

– Sire, dit-il d'une voix bouleversée, par quel miracle… ?

En entendant leur chef, tous les rebelles tombent à genoux. Ils sont des centaines, prosternés devant le souverain.

– Aucun miracle, dit Richard Cœur de Lion. Nous avons débarqué à l'est et nous nous dirigeons vers Winchester. En chemin, nous faisons le compte de nos fidèles et de nos adversaires.

– Dire que je ne vous ai pas reconnu ! balbutie Robin. Je m'attendais si peu…

– Moi, je n'avais pas besoin de voir ton épée pour te reconnaître. Crois-tu que j'aie oublié Jaffa, Saint-Jean d'Acre et Tripoli ?

– Sire, disposez de nous.

– Je le ferai. Mais il me faut d'abord rétablir l'ordre. Les traîtres doivent disparaître des châteaux, des abbayes et des forêts. Où va le royaume si les grands seigneurs agissent comme des brigands et les brigands comme des seigneurs ? On m'a rapporté que certains hors-la-loi avaient contribué à payer ma rançon. Je ne l'ai pas cru, bien sûr. Et toi, qu'en penses-tu ?

Le chef des rebelles hausse les épaules :

– On raconte n'importe quoi, sire.

Richard et Robin éclatent de rire, imités par les gentilshommes de l'escorte royale et la foule des rebelles.

Chapitre 23
Cœur de Lion

Richard Cœur de Lion ne décolère pas. Tous les châteaux se sont rendus et les seigneurs révoltés ont fait leur soumission. Seule résiste encore la citadelle de Nottingham. Robert Durham s'est retiré prudemment, mais il a laissé sur place des centaines d'hommes armés sous le commandement d'un mercenaire aguerri : Robert le Breton.

Bâti sur une haute colline, le château est une vraie forteresse, d'autant plus imprenable que la colline qui lui sert d'assise est truffée de grottes transformées en bastions. Il faut les enlever une à une sous les tirs ennemis qui déciment les assaillants.

— As-tu dépêché notre héraut, Eudes, avec nos couleurs ?

— Oui, sire, dit Hubert Gautier.

— Quelle a été leur réponse ?

— Une flèche, plantée dans l'épaule du garçon.

— Maudits traîtres ! hurle Richard. Tirer sur Eudes, c'est comme s'ils tiraient sur moi !

Saisissant son épée et rabattant la visière de son heaume, il ordonne à son page :

— Mon écu !

Le page porte le grand bouclier du roi. Abrité derrière lui, Richard, saisi d'une témérité dont il est coutumier, s'élance seul à l'assaut de la citadelle.

— Sire, c'est folie ! crie Hubert Gautier.

Il se précipite avec plusieurs gentilshommes pour couvrir le roi. Aussitôt, une nuée de flèches jaillie des remparts s'abat sur eux. Raoul de Striguil s'écroule, frappé en plein cœur. John Percy Clayton tombe à son tour. Les autres reculent.

– À l'attaque ! ordonne Hubert Gautier.

Pris d'abord au dépourvu par l'acte insensé de Richard, les hommes d'armes escaladent la butte à leur tour. Le roi a déjà atteint les premiers bastions. Il fauche ses adversaires sans répit avec sa grande épée. Cependant, les traits d'arbalètes frappent le bouclier, l'alourdissent, le fendent. Le page chancelle. Richard, encerclé, est en péril quand une pluie de flèches venue du camp royal fait le vide autour de lui. Au sommet des remparts, les défenseurs de Nottingham tombent.

Les occupants des bastions avancés abandonnent leur position et escaladent la colline pour trouver refuge à l'intérieur du château. Rares sont ceux qui l'atteignent. Les archers les harcèlent sans pitié.

Richard retrouve enfin ses gentilshommes, qui dressent autour de lui un rempart de boucliers.

– Sire, votre vie est trop précieuse pour l'exposer ainsi, dit Hubert Gautier d'un ton de reproche. Sans Robin de Locksley…

– Robin ? s'étonne le roi.

Il découvre, au bas de la pente, des centaines d'archers en tuniques vertes qui abattent les défenseurs avec une précision prodigieuse.

– J'ai pensé qu'un peu de renfort ne serait pas inutile, lui crie Robin.

– Comme à Jaffa !

Malgré cette évocation glorieuse, le visage de Richard reste tendu. La résistance de Nottingham l'exaspère. Il donne l'ordre à ses troupes d'abandonner leurs positions et de se replier au bas de la colline.

— Sage décision, approuve Hubert Gautier. Inutile de sacrifier des hommes. Assiégeons-les. Ils finiront par se rendre !

Richard Cœur de Lion délace son heaume et le jette à
terre :

— Tu me connais bien mal si tu crois que je vais laisser
ces rebelles me narguer pendant des mois !

— Nous pourrions lancer des échelles de corde durant
la nuit et nous hisser jusqu'au sommet du rempart, suggère Robin.

— Tu te crois encore en Terre sainte ! fulmine le roi. Ces
gens-là ne méritent pas cet honneur. Je crois qu'ils n'ont
pas compris mon message. Je vais être plus clair. Qu'on
m'amène les prisonniers !

Quelques minutes plus tard, ses sergents poussent devant
le roi une vingtaine de rebelles pris au cours des combats.

— Édifiez des gibets face à la porte ! ordonne Richard.

Devant la menace, les captifs se mettent à trembler.

— Sire, plaide l'un d'entre eux, nous ne savions pas que
c'était vous qui nous attaquiez !

Richard refuse de se laisser attendrir :

— Eh bien, vous allez l'apprendre à vos dépens. Qu'on
les pende !

Une heure plus tard, voyant les vingt corps qui se balan-
cent au bout de leurs cordes, les assiégés dépêchent un
émissaire pour négocier leur capitulation.

— Rendez-vous sans condition, répond le roi. Peut-être
que je vous ferai grâce, mais je ne vous promets rien.

La plupart des défenseurs cèdent. Le jugement royal
tombe : les nobles sont déchus de leurs titres et dépouillés
de tous leurs biens.

– Richard est bien rapace, constate Robin.

Hubert Gautier acquiesce :

– L'Angleterre a besoin d'argent pour mener la guerre contre la France. Cela explique la clémence du roi.

– Je plains ceux qui n'ont rien à donner, dit Robin.

– Ils avaient leur loyauté. Dommage qu'ils l'aient oubliée, car elle valait mieux que toutes les richesses du monde.

– Si la guerre recommence, objecte Robin, l'argent sera destiné à détruire au lieu de nourrir les pauvres gens.

– C'est toi, le vainqueur de Jaffa, qui parles ainsi ? s'étonne le grand justicier.

– N'est-ce pas le rôle d'un chevalier de venir en aide aux malheureux ?

L'évêque fronce les sourcils :

– Un conseil : ne va pas dire cela au roi en ce moment. Il n'est guère d'humeur à l'entendre !

Le visage de Richard Cœur de Lion confirme les propos d'Hubert Gautier. Il contient difficilement sa fureur devant les rebelles agenouillés à ses pieds.

– Toi, Helington, tu n'es pas digne de porter les couleurs glorieuses de tes aïeux.

– Toi, Eastbrod, tu pars en exil. Estime-toi heureux d'avoir la vie sauve.

Il avise ensuite le commandant de la garnison :

– Pour toi, le Breton, c'est la mort !

– Sire, proteste le mercenaire, comment aurais-je su que vous étiez le roi ? On vous disait prisonnier. J'ai cru à une attaque de Robin des Bois.

– Mensonges ! s'écrie Richard. Ne vois-tu pas mes léopards ?

Il désigne la forêt des bannières qui entoure la forteresse.

– Sire, prenez tous mes biens.

– Ils sont déjà en ma possession. Je ne veux que ta vie.

– Vous avez fait grâce à de plus coupables que moi. Je n'ai fait qu'obéir à votre frère.

– Je ne puis punir Jean, réplique Richard, inflexible. Aussi seras-tu châtié à sa place.

– C'est injuste, sire !

– As-tu fait justice à tes adversaires, dis-moi ? N'as-tu pas pendu les rebelles de Sherwood ?

– Ils le méritaient.

– Je ne te le fais pas dire ! Ôtez-le de ma vue !

Robin rejoint ses hommes, qui commentent la chute de la forteresse.

– Richard est devenu bien impitoyable, fait remarquer frère Tuck.

Petit Jean hoche la tête :

– Le lion en cage est devenu furieux.

– L'Angleterre a retrouvé son maître. L'anarchie est terminée.

– Malheur aux hors-la-loi ! s'exclame Wilfred.

Chapitre 24
Le châtiment

En ce jour de liesse, 17 avril 1194, Winchester, l'ancienne capitale du royaume d'Angleterre, semble retrouver sa gloire passée. Une foule immense, accourue de toute l'Angleterre, se presse dans les rues jonchées de feuilles, entre les façades décorées de toiles multicolores, et sous les toits où flottent les bannières aux trois léopards d'or.

Robin des Bois, placé dans les derniers rangs de la cathédrale, derrière des centaines de seigneurs en habits d'apparat, observe Richard Cœur de Lion. Le roi, assis à côté d'Aliénor, est entouré des plus hauts dignitaires du royaume : Jean, évêque de Dublin, Richard, évêque de Londres, Gilbert, évêque de Rochester, et Guillaume Longchamp, évêque d'Ely. L'encens brûle. Les ors resplendissent sous les cierges de cire blanche. Les chants des moines de St. Mary résonnent en l'honneur du souverain.

Richard, les mains jointes, s'agenouille face à l'autel. Hubert Gautier, nommé archevêque de Canterbury, dépose la couronne royale sur sa tête, en disant :

– Gloire à toi, Richard, roi d'Angleterre !

– Pourquoi couronner Richard Cœur de Lion, qui l'a déjà été il y a trois ans ? s'étonne Robin.

John Harding, à qui s'adresse cette question, ne daigne pas répondre.

Deux jours auparavant, à la tête d'une escorte, il est venu chercher Robin à Sherwood. « Au nom du roi ». Les *outlaws* étaient d'autant plus inquiets de voir s'éloigner leur chef, qu'il leur était défendu de l'accompagner. « Robin de Locksley seul », l'ordre était formel.

À Winchester, l'escorte a conduit Robin dans un hôtel aux allures de prison. Deux jours et deux nuits, il s'est morfondu là sous la surveillance de quatre hommes d'armes, avec interdiction de sortir. De l'étroite fenêtre de sa chambre, il apercevait la ville en proie à un délire dont il ignorait la cause. Puis, le troisième jour, un valet est venu lui apporter de riches habits. « De la part du roi ».

À présent, il assiste à cet étrange couronnement en compagnie de son guide muet.

– Pourquoi le roi m'a-t-il fait venir ici ? demande-t-il.

La réponse de John Harding est toujours la même :

– Je l'ignore, messire.

– Pourquoi me traiter comme un prisonnier et me vêtir comme un prince ?

– J'obéis aux ordres.

– Les ordres de qui ?

Nouveau silence.

Près du chœur, derrière les évêques, se tiennent les dames d'honneur d'Aliénor et les épouses des grands seigneurs. Robin, le cœur battant, vient d'apercevoir un visage familier : Marianne ! Il ne distingue que son profil sous le voile de dentelle qui recouvre ses cheveux noirs. Mais, pendant la messe solennelle qui suit le couronnement, il la guette à travers les cent visages des fidèles agenouillés. Il en oublie le roi et le motif mystérieux de sa présence. Sait-elle qu'il se trouve là, à l'autre bout de l'église ? Non, sans doute, sinon elle tournerait la tête et lui sourirait avec cette merveilleuse douceur qui le désarme.

– Venez, messire.

La messe est finie. Harding entraîne Robin hors de la cathédrale. Il s'exécute à contrecœur. Il aurait aimé revoir celle qu'il aime, croiser son regard, lui faire savoir qu'il ne l'a pas oubliée. Il se console en se disant qu'il aura peut-être l'occasion de la rencontrer lorsqu'elle sortira à son tour.

Une foule considérable de barons et de chevaliers se presse au seuil de la cathédrale. Au sommet de la puissante tour carrée qui domine le porche, les cloches sonnent à la volée. Puis le silence s'établit. On dirait que la ville tout entière s'est brusquement endormie. Le roi paraît, entouré de ses dignitaires. Alors, les vivats s'élèvent, si véhéments qu'ils font vibrer les cloisons de bois des maisons voisines et s'envoler une nuée d'oiseaux nichés dans les chaumes des toitures.

Richard Cœur de Lion lève la main. Instantanément, tous se taisent. D'une voix forte, le roi remercie ceux qui lui sont restés fidèles dans l'adversité. Il commence par sa mère, Aliénor. Puis il rend hommage à Hubert Gautier, qu'il vient de nommer au siège prestigieux de Canterbury.

Les noms se succèdent. L'un après l'autre, les seigneurs désignés viennent s'agenouiller devant le souverain. Ils placent leurs mains entre les siennes pour recevoir les récompenses qu'il leur décerne : un titre, un privilège, un fief, une abbaye.

Robin se désintéresse du spectacle : il vient d'apercevoir Marianne parmi les dames de la reine. Il admire sa taille mince et sa robe blanche qui lui donne un air de fiancée. Il a l'impression que le regard de la jeune fille le cherche parmi l'assistance. Pure illusion, sans doute. Autour de lui, nombreux sont ceux qui pourraient prétendre à son amour avec plus de mérite. Aliénor l'a prévenu.

– À vous, messire.

Harding le pousse en avant.

– À moi ?

– Le roi vous appelle.

Perdu dans son rêve, Robin n'a pas entendu son nom. Les seigneurs s'écartent sur son passage. Comme dans un songe, il s'agenouille sur les marches devant le roi. Le regard de Richard est sévère :

– Robin de Locksley, quels que soient tes mérites passés et les hauts faits de tes ancêtres, nous ne pouvons encourager la rébellion. Tu as désobéi aux détenteurs de la loi, exécuté des agents royaux, rançonné des voyageurs, pillé des monastères. Pour tout cela, tu dois être châtié. Et, pour qu'à l'avenir tu ne puisses plus oublier tes devoirs, nous te condamnons à vivre sous la surveillance d'une personne digne de notre confiance.

« Le roi m'emprisonne ! songe Robin avec stupeur. C'est ainsi qu'il récompense les services que je lui ai rendus ! »

Un nouveau silence succède à ce discours, comme si Richard souhaitait donner plus de solennité à sa condamnation. Puis il tend la main :

– Cette personne, la voici.

Marianne s'avance devant Robin, ébahi. Elle s'agenouille à côté de lui, sous les yeux du roi.

– Robin de Locksley, nous t'ordonnons de prendre pour épouse notre filleule, Marianne Fitzwalter, et, pour que ton rang soit accordé au sien, nous te nommons dès ce jour comte de Huntingdon. Eh bien, qu'as-tu à dire de ce jugement ?

Les dignitaires échangent des sourires. Aliénor elle-même pose sur les jeunes gens un regard attendri. Surmontant sa violente émotion, Robin prend la main de Marianne et la porte à ses lèvres.

— Sire, dit-il, vous obéir est un devoir sacré.

Une lueur ironique s'allume dans les yeux de Richard Cœur de Lion, tandis que la foule éclate en applaudissements.

Pour continuer l'histoire...

LIVRES
Robin des Bois, Alexandre Dumas, Bartillat.
Ivanhoé (texte abrégé), Walter Scott, Le Livre de Poche.

FILMS
Les Aventures de Robin des Bois, de Michael Curtiz, avec Errol Flynn, Olivia de Havilland, 1938.
Robin des Bois, de Ridley Scott, avec Russell Crowe, Cate Blanchett, 2010.